デジタルプロファイル シリーズ Vol.1

メッサーシュミット Bf109

[デジタル解析カラー側面図集]

イラスト／西川幸伸

CONTENTS

The early versions of Bf109 ········· 2

Messerschmitt Bf109E "Emil" ············· 10

Messerschmitt Bf109F "Friedrich" ············· 24

Messerschmitt Bf109G "Gustav" ············· 40

Messerschmitt Bf109K "Kurfürst" ············· 66

The other variants and derivatives of Bf109 ············· 70

How a digital profile is made ············· 78

List of Referrences ············· 79

The early v Bf 109

写真／野原 茂
Photo by Shigeru NOHARA

1933年6月、ドイツ航空省の軍用機開発を担当する技術局は、国内航空各社にハインケルHe51戦闘機の後継戦闘機に関する要求仕様を提示した。単発単座で、武装は機関銃2挺の他、20㎜機関砲を2門搭載。最大速度は高度6000mで時速400kmを発揮し、上昇高度1万m。さらに一辺400mの飛行場内でも運用可能という当時としてはかなり苛酷な要求だった。

　メッサーシュミット社の前身となるBFW社（バイエルン航空機製造株式会社）は、この競争試作に対して、全金属製の楕円断面モノコック構造を持ち、主翼は前縁翼端に自動スラットを装着、油圧駆動による引き込み式の主脚、そして完全密閉式のコクピットという、先鋭的な設計案を投入した。航空省内ではこれを野心的過ぎるとして危惧する声もあったが、Bf109として採用され、試作機の製作が命じられた。しかし、採用予定のユンカースJumo210とダイムラー社のDB600の両エンジンがともに間に合わないため、暫定的にロールスロイス社のケストレルV型12気筒液冷エンジンが搭載されることになった。

　試作初号機となるBf109V1は、1935年5月28日に初飛行に成功して、6月からはトラーフェミュンデにて航空省による審査に移った。この時、ライバル機となったハインケルHe112V1との比較では、同じケストレル製エンジンを搭載していながら、Bf109V1が30kmも時速で上回り、強烈な印象を与えている。開放型コクピットを採用して格闘戦能力を重視した、保守的なHe112は古参パイロットからの評判こそ上々だったが、度重なる設計変更や量産体制が不安視されたハインケル側の事情が、水面下ではBf109有利に働いた。さらに1936年1月には倒立V型12気筒エンジンのJumo210Aを搭載したBf109V2が登場し、He112を上回る性能を見せたことで、Bf109の優先生産が決まったのである。このうち同年6月に完成した試作3号機Bf109V3をベースに、1937年1月にかけて約20機ほど生産された最初の量産型がBf109Aである。

　Bf109Bは本格的な量産型であり、1936年9月に完成したBf109V4をベースとしている。エンジンにはJumo210Dを搭載し、武装もカウリング内の7.92㎜機銃2挺の他、プロペラ同軸機銃を1挺追加している。ただし、同軸機銃はエンジン過熱による故障が多発したため、現場で大半が撤去された。V3からV6の4機はスペイン内戦に送られて第88戦闘飛行大隊に配属され、約2ヶ月間の戦いで、優れた性能を持つ機体であることが証明された。スペインでの成功によってBf109のコンセプトが確立し、1937年2月から約1年の間に341機のBf109Bが生産された。

　Bf109CはB型の強化発展版で、エンジンには、全高度域で出力が向上した直接燃料噴射式のJumo210Gを搭載している。Jumo210GはマイナスG状態での機動中も安定した性能を発揮できる高性能エンジンであり、速度もB型より40km/h向上した。反面、燃料消費量が大きくなるため、航続距離を維持する必要から燃料タンクはB型の250リッターから、1.4倍増の337リッターに大型化している。しかし、Jumo210Gは深刻な生産遅延を繰り返したため、C型の生産数は55機ないし58機にとどまった。

　数の不足を補うため、C型の機体にB型に搭載したのと同系列のJumo210DaエンジンをJumo210Daエンジンを搭載したのがBf109Dである。生産が始まった1938年は、オーストリア併合などに伴い、ドイツを巡る国際的な緊張が高まった時期にあたる。ドイツは、外交交渉を有利に進めるために、スペイン内戦や国際航空レースで威力を見せつけたBf109の前線配置が順調であることをデモンストレートする必要があった。C型より性能が劣る機体でも、とにかく数を揃えるのが急務だったのだ。D型の生産は順調で、1938年末までに647機が完成している。

　B型で採用されたプロペラ同軸機銃は、C型では廃止となり、E型では翼内にMG17 7.92㎜機銃を2挺追加搭載して、合計4挺となっていた。貧弱な武装強化はC型の課題であり、翼内に合計2挺のMGFF20㎜機関砲を搭載する計画もあったが、Bf109V12を使用した搭載射撃実験では、震動で翼のリベットが破損脱落するトラブルが確認され、機関砲の搭載は不可能であると判断されている。

文／宮永忠将
Text by Tadamasa MIYANAGA

Bf109 V1 D-IABI W.Nr.758
Summer 1935 Germany

Bf109 V1 D-IABI W.Nr.758
1935年夏　ドイツ国内

'33年RLM（ドイツ航空省）はHe51に変わる次世代戦闘機の仕様書L.A.1432/33を提示した。要求仕様書に基づきBFW社は前作Bf108をもとにBf109を開発した。'35年5月にロールアウトしたのがこのV1である。エンジンの準備が充分でなかったために後のライバルになるスピットファイア原型機K5054と同じロールスロイス・ケストレルを装備してテスト飛行を行ない467km/hという高速と良好な操縦性能を示した。合計3万機以上が生産され、外国にもそのDNAを伝えた名機の第1号機である

Bf109 V3 D-IOQY W.Nr.760
Summer 1936 Germany

Bf109 V3 D-IOQY W.Nr.760
1936年夏　ドイツ国内

V2（W.Nr.759）に続き6月に完成したV3はエンジンを倒立V型Jumo210Aとしエンジン上部に7.92mm機関銃を装備、無線機器も搭載した。この機体は、後の量産機とは異なる風防を持っている。量産機では正面、側面ともに平面で構成されているが、V3では側面ガラスをカーブしたものとし、第1風防天蓋部分のガラスは第2風防と一体としている。V3はテストの後、スペイン内戦に派遣されており、●6-2のマーキングと操縦席下に髑髏を描いた同機のスペインでの写真が残っている

Bf109 V13 D-IPYK W.Nr.1050
November 1937 Augusburg Germany Dr. Hermann Wurster

Bf109 V13 D-IPYK W.Nr.1050
1937年11月　アウグスブルグ　ドイツ　ヘルマン・ヴーシュター博士

'37年にスイス・チューリッヒで開催された第4回国際航空ミーティングへの参加と陸上機の速度世界記録を目標にダイムラー・ベンツ製の特別仕様エンジンを装備して完成。冷却器を翼下に装備するなどE型の原型とも言える機体である。スイスから帰った11月11日に風防なども特殊仕様に変更して、最高速度610.95km/hを記録した。それまでハワード・ヒューズが持っていた記録を破った。同機の写真を見ると各部がいろいろと改造されており、記録達成時にはこのイラストとは異なっている可能性もある

Bf109 V14 D-ISLU W.Nr.1029
July 1937 Zürich Switzerland Ernst Udet

Bf109 V14 D-ISLU W.Nr.1029
1937年7月　チューリッヒ　スイス　エルンスト・ウーデット

同じく'37年にスイス・チューリッヒで開催された第4回国際航空ミーティングに参加するため、V13と同様の特別仕様のダイムラー・ベンツエンジンRennmotor Ⅲ（離昇出力1660hp）を装備した。スイスではウーデットの操縦で飛行したが、不時着して操縦席後方で胴体が折れている。機体の色は青とも赤ともいわれているが、残存している破片の写真から赤と考えられる。V13も同様であるが、リベットをパテで埋めて表面を綺麗に磨いた機体になっており、イラストでもそのように描いている

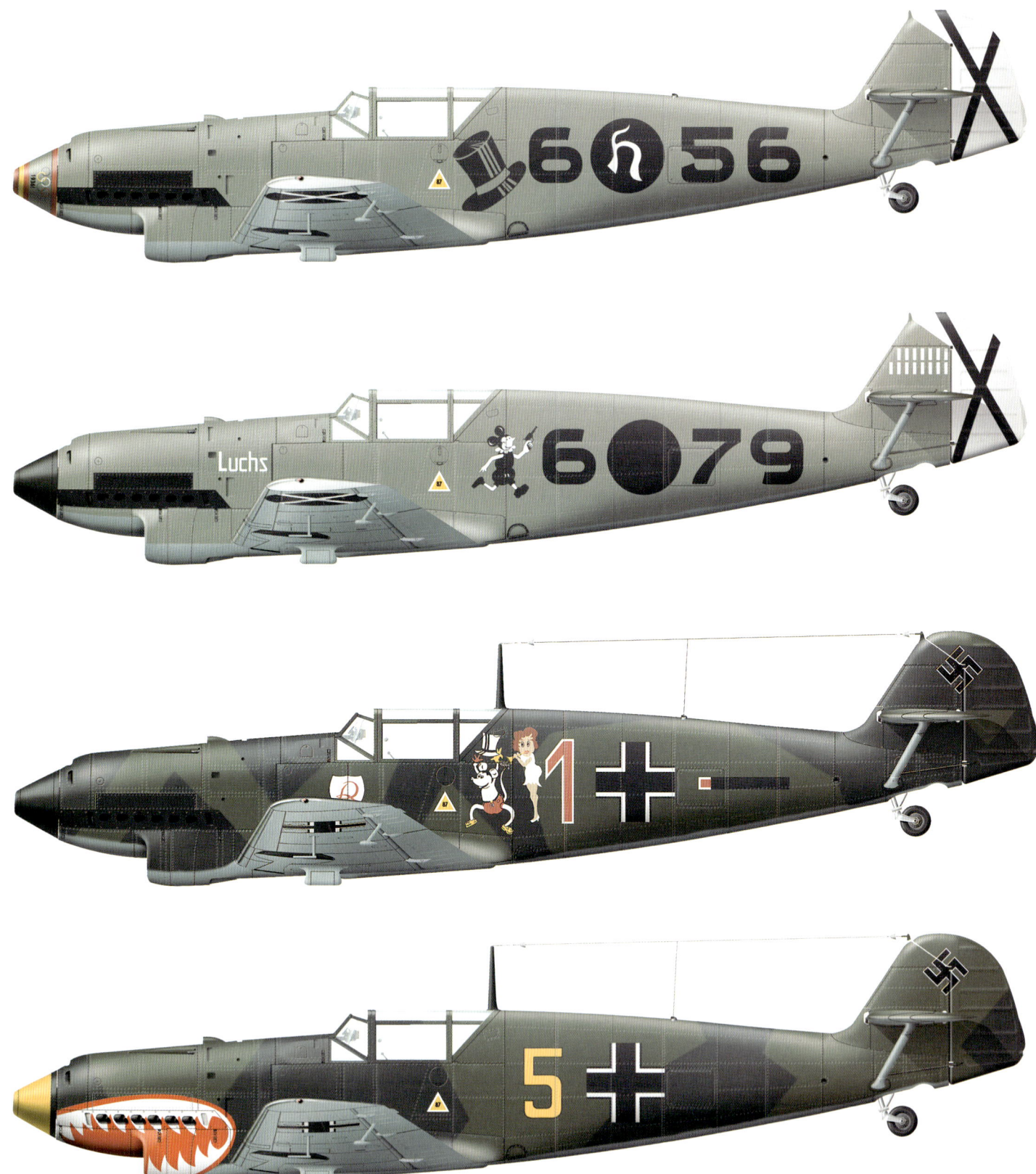

Bf109B 6•56 W.Nr.?
1938 Spain 2./Jagdgruppe 88 Legion Hauptmann Gotthardt Handrick

Bf109B 6●56 W.Nr.不明
1938年　スペイン　コンドル軍団　第88戦闘飛行隊　第2中隊　ゴッドハルト・ヘンドリック大尉

'36年に開催されたベルリン オリンピックの近代五種競技で金メダルを獲得したヘンドリック中尉がスペインに派遣されたコンドル軍団で使用した機体である。同中尉が帰国後はグラブマン中尉が同機を引続き使用した。この際、●の中には「h」に替わり「G」が描かれている。さらにその後はスペイン空軍に移管されている。スピナーには「1936!」と「1940?」の文字と五輪マークが描かれているが、この五輪マーク塗装には2種類のパターンがあり、6●56塗装の機体が2機存在する可能性もある

Bf109D-1 6•79 W.Nr.?
1938 Spain 3./Jagdgruppe 88 Legion Hauptmann Werner Mölders

Bf109D-1 6●79 W.Nr.不明
1938年　スペイン　コンドル軍団　第88戦闘飛行隊　第3中隊　ウェルナー・メルダース大尉

第2次世界大戦で最初に100機撃墜を果たしたメルダースがスペイン内戦に派遣されていた当時に使用した機体である。胴体に描かれた個人マークには手袋をしているもの、衣装が赤のものなどバリエーションがあるがこの機体のマークはシンプルな白黒のもののようである。大戦緒戦期と同様に撃墜マークは方向舵ではなく、垂直安定板に描かれている。無線機器関係はアンテナマストだけでなく、胴体後部の空中線引き込み金具も取り除かれていると思われる。なお「Luchs」はオオヤマネコの意味である

Bf109B-2 red1 W.Nr.?
June 30, 1939 Halberstadt Germany Unteroffizier Michael Schmid

Bf109B-2 赤1 W.Nr.不明
1939年6月30日　ハルバーシュタット　ドイツ　ミヒャエル・シュミット伍長

ネズミのキャラクターとベティ・ブープが胴体に描かれたB-2型。B-1型はプロペラが木製とされているが、この機体は金属製プロペラを付けているのでB-2型であると判断される。実機の写真が'39年6月30日撮影とされているので、胴体に航空団のマークが描かれているが、すでに第一線での任務には就いてはいないと考えられる。塗装はRLM70/71/65ではあるが機体の前部分の塗り分けは明瞭ではないのでイラストでは標準の塗り分けにしたがっている。また、排気管周辺はさらに濃い色なので黒で塗装されていると考えた

Bf109D-1 yellow 5 W.Nr.?
August 1939 Gablingen Germany 2./JGr.176

Bf109D-1 黄5 W.Nr.不明
1939年8月　ガブリンゲン　ドイツ　第176戦闘飛行隊第2中隊

「シャークマウス」飛行隊として知られるⅡ/ZG76は、Bf110を装備するまでの間、短期間JGr.176と呼ばれ、Bf109D-1で編成されていた。この機体は、RLM70/71/65の縞状の塗りわけがなされていたが、標準のパターンとは異なるものと考えられる。機首下のラジエーター部分に鮫の口を描く「シャークマウス」のマーキングは、アメリカのP-40やP-51、イギリスのスピットファイアなどの各国の様々な機体に施されており、もっともポピュラーな軍用機のマーキングであるといえよう

Reference : Embrems of Bf109 [01]

Bf109のエンブレムは、大きく分けて（1）航空団エンブレム（2）飛行隊/中隊エンブレム（3）個人エンブレム（4）ドイツ軍以外 の4つに分類される。
ここではそれぞれの分類ごとにどのようなエンブレムが施されていたのかを代表的なものを中心に紹介していこう

第1戦闘航空団　第2戦闘航空団　第11戦闘航空団　第26戦闘航空団　第51戦闘航空団

第14偵察飛行隊・第2中隊　第51戦闘航空団 第6中隊　第52戦闘航空団 第I飛行隊　第77戦闘航空団 第III飛行隊　第26戦闘航空団 第8中隊

第54戦闘航空団 第II飛行隊　第54戦闘航空団 第III飛行隊（旧）　第54戦闘航空団 第III飛行隊（新）　第2戦闘航空団 第III飛行隊　第52戦闘航空団 第III飛行隊　第11戦闘航空団 第II飛行隊　第27戦闘航空団 第II飛行隊

early versions

Bf109D-1 J-307 W.Nr.2302
Autumn 1944 Swiss

Bf109D-1　J-307　W.Nr.2302
1944年秋　スイス

Bf109D-1 W.Nr.2302は'39年1月19日にスイスに納入された。スイス空軍はBf109D/E/Gを使用したが、D/E型では武装と無線関係はスイス独自の仕様としている。機銃は口径7.45mmのスイス製を使用しており、この関係でカウリング上部のパネルの形状はドイツ空軍での使用機とは異なっている。イラストに描いた塗装は'44年9月に導入されたもので、中立国スイス機であることを目立たせるものになっている。スイス空軍のBf109は大戦中、たびたび領空侵犯機の迎撃に出動している

第53戦闘航空団

第54戦闘航空団

第77戦闘航空団

夜間戦闘航空団章

コンドル軍団
第88戦闘大隊 第2中隊

第54戦闘航空団
第9中隊

第3戦闘航空団
第III飛行隊

第26戦闘航空団
第9中隊

第52戦闘航空団
第9中隊

第2戦闘航空団
第10中隊

第2戦闘航空団
第3中隊

第77戦闘航空団
第I飛行隊本部

第27戦闘航空団
第I飛行隊

第27戦闘航空団　第I飛行隊
ハンス・ヨアヒム・マルセイユ機

第54戦闘航空団
第I飛行隊

第54戦闘航空団
航空団司令機

第27戦闘航空団
第II飛行隊本部

Messersch
Bf109E "E

写真／野原 茂
Photo by Shigeru NOHARA

1939年9月1日、ドイツ軍がポーランドに侵攻した際に空軍(ルフトヴァッフェ)が投入したBf109の半数は、最新のE型が占めていた。前年に急ピッチで生産されたD型は、本命視されていたダイムラー社のDB601エンジンが完成するまでのつなぎであり、イギリス空軍が最新鋭戦闘機スピットファイアの生産に移行したことを察知したドイツ軍では、これを凌駕するBf109シリーズの決定版として、E型に大きな期待をかけていたのである。

　E型の原型となるE-1型の機体設計は、基本的にD型を踏襲している。しかし、Jumo210Daエンジンが最大全長1478mm、重量440kgだったのと比較して、DB601Aは全長が244mm上回り、重量は610kgで170kgも増加している。そのため、機首形状はD型から大きく変わり、カウリングの下面に設置されていたTZ3ラジエーターを廃止し、新たにSKF/F456Cラジエーターを主翼の主脚収納口の後部に設置して、重量バランスを調整することになった。また排気管の突出も大きくなった他、過給器用エアインテークがカウリングの側面に大きく取り付けられた。プロペラも、それまでの金属製可変ピッチ式二翅プロペラから、三翅プロペラに変更になったため、機首周辺の外見はD型と比較して著しく変化している。

　このような変更を経てDB601Aエンジンに換装したE-1型の性能は素晴らしかった。離昇出力はJumo210Daの680hpから、一気に1100hpまで向上したため、重量増加分を割り引いても、格段に高性能化したのである。具体的には、高度6000mでの最大速度は時速555km(D型は4000mで時速450km)、実用上昇限度1万300m(8100m)で、上昇力も6000mまで6分18秒、航続距離では665kmとD型を200kmも上回る性能を発揮している。

　これを受け、E-1型とE-3型は、メッサーシュミット社のアウグスブルク、レーゲンスブルクの2工場を中心に、フィーゼラーやAGOなどを加えた7社8工場で1938年11月から随時フル生産に入ることになった。この結果、派生型を合わせ、E型の総生産数は4000機を超える。

　ところで、これまでの課題だった武装面の強化は、E型の開発においてもネックになっていたが、いよいよ抜本的な解決が図られることになった。プロペラ同軸にMGC/3 20mm機関砲を設置しようとしたE-2型は、射撃震動の悪影響が排除しきれずに廃棄されるが、E-3型は構造を強化した新設計の翼を採用することで、翼内にMGFF 20mm機関砲2門を搭載することが可能になったのである。こうしてドイツ空軍が喉から手が出るほど欲しがっていた武装強化版のBf109E-3は、E-1と並行生産された。そして1940年7月に打ち切られるまで、E-3の生産数はシリーズ最多の1246機となったのである。

　Eシリーズの決定版はBf109E-4である。E-4はE-3で固まった武装コンセプトをさらに一歩推し進めたもので、翼内ガンベイをさらに改正して、MGFF／M機関砲の搭載を可能にしていた。この機関砲は威力絶大なFFM薄殻榴弾の射撃が可能で、装甲車両への攻撃にも効果が期待できた。他にも、E-4からは曲面を廃した簡易生産型のキャノピーが採用された。生産速度が向上するだけでなく、視界が広がって、曲面による歪みもなくなる利点があったが、空気抵抗が増大して最高速度は若干低下している。また、パイロットの上半身を背後からの攻撃から守るために、キャノピー内のシート後方に防弾板が取り付けられた。

　1940年に入ると、E-1の機体をE-4に換装する改修キットの生産も行なわれている。主翼の構造が単純だったために、部品の交換によって改修が可能だったのである。Bf109は車輪幅がわずか2000mmほどしかなく、狭すぎる主脚間隔は、Bf109の離着陸時における操作の難しさや事故の多発を招き、パイロットからは不評だった。しかし、主脚は胴体中央部のメインフレームに直接取り付けられていて、引き込み時には外側に折って主翼下面に収納する形状になっていたため、主翼が主脚のメイン構造に干渉していない。もともと小さい機体に大出力エンジンを搭載したため、あまり発展余地がないBf109にとって、主翼内は貴重な予備スペースだった。

　E型の成功によって、空軍内における絶大な地位を獲得した勢いを駆って、1938年7月、ヴィリィ・メッサーシュミットはBFW社の社長に就任し、社名もメッサーシュミット社に改められた。

　ところで、メッサーシュミットが開発した飛行機はMe163以降、Meという会社記号を使用している一方、Bf109についてもドイツ軍の実戦部隊も含めて、多くの記録でMe109という名称が用いられている。これはE型の生産途中に、Bfという会社記号が与えられていたBFW社が社名変更したことに伴う混乱が原因である。厳密にはE型までをBf109A～E、F型以降をMe109F～とすべきだが、現在はBf109で通すのが一般的である。

　1939年9月1日の時点では、1091機のE型がロールアウトしており、数の上でも主力を占めていた。しかし、ポーランド戦に投入された戦闘飛行隊の装備はD型が中心で、E型装備部隊の大半はイギリス、フランスの動きを警戒して本土に留められている。そもそも、ポーランド空軍の迎撃戦闘力は極めて微弱で、PZL P.7やP.11といった敵戦闘機はBf110などの双発戦闘機で余裕で対処できた。この戦いで発生した60機前後のBf109を含むドイツ軍機の損害の大半は、対空砲火によるものである。

　1940年5月10日に始まったフランス戦がE型の本格的な実戦デビュ

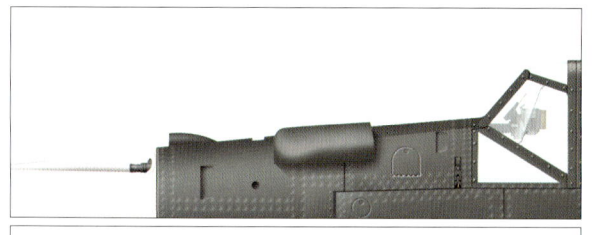

◀水平基点表示。これは機体の捩じれを計測するためのもので、胴体左側面に6カ所設けられた。前から順に第1キャノピー直下、第3キャノピー直前、バルケンクロイツ直前、点検ハッチ右側面直上、点検ハッチの隣の外板の機体中心より下側、リフトバー差し込み穴の左上にある。点検時はこの基点を結び計測機器により検査を行なう。当時の写真で確認できるのはほとんどが1番と2番だが、本書ではすべての基点を描き込んでいる(機体塗装より塗り潰されていると判断できる場合は痕跡のみ)。また、この基点は赤く塗られたボルトと思われるが、塗装の補修により消えることは許されないので、硬度のある色付きの素材(例えばガラス状のもの)が使われたとも考えられる

◀D型およびE型はスイスにも輸入された。スイス空軍仕様のD型(上図:P.8)とE型(下図:P.16)は、搭載銃器がドイツのものから取り換えられたため機首の機銃同調装置も変更され、機首上面のパネルラインが異なっている

Bf109E-4 Kommodore marking W.Nr.5344
Autumn 1940　Beaumont-le-Roger France　Kommodore of Jagdgeschwader 2　Major Helmut Wick

Bf109E-4　航空団司令記号　W.Nr.5344
1940年秋　ボーモン・ル・ロジェ　フランス　第2戦闘航空団司令　ヘルムート・ヴィック少佐

ーとなった。作戦全体には1346機のBf109が投入されたが、そのうちE型は四分の三の1016機を占めている。ベネルクス三国との戦いは圧倒的な戦力差もあり、鎧袖一触で粉砕に成功。イギリス軍欧州派遣軍のハリケーン戦闘機はよく戦ったが、衆寡敵せず、ドイツ軍の破竹の進撃を押しとどめる力にはならなかった。

フランスとの戦いでも、Bf109Eの優位は変わらない。当時、フランス空軍の数の上での主力戦闘機はモラン・ソルニエMS406やブロックMB151などである。前者は低速ながら優れた格闘戦能力で一太刀浴びせる場面も見られたが、速度性能の差はどうしようもなく、間もなくBf109Eに圧倒されて、ドイツ軍に制空権を明け渡すことになった。唯一、総合性能で対抗可能なドボアチンD.520は、スペイン内戦から通算25機を撃墜している大エース、ヴェルナー・メルダース大尉機を仕留めるなどして気を吐いたが、わずか数十機しか前線配備が間に合っていなかったため、劣勢を覆す力にはならなかった。

Bf109Eのみならず、ドイツ空軍にとって最初の試練となったのは、同年7月から始まったイギリス海峡上空の戦い、「バトル・オブ・ブリテン」である。7月20日時点でドイツ空軍には656機のBf109Eが稼働状態にあり、イギリス空軍のスピットファイアやハリケーンを数の上で若干上回っていた。約100日間続いた戦いの中で、戦闘機同士で見た場合、Bf109Eは戦術的優勢ではあったが、制空権確保までには至らなかった。結果として、イギリスの都市や軍事拠点に向かった爆撃部隊は大きな損害を出すことになり、空軍力を大きく消耗して、ドイツは敗退している。

◀ **1** 標準的な燃料オクタン価表示 **2** リュツォウ大尉機(P.18)のオクタン価表示。標準に近い物であるが上下方向に短くなっている。E型では量産体制が整っていないことやカモフラージュの仕様変更に伴う再塗装などのため、部隊において表示が記入されたなどの理由により標準から少し外れたものになったと考えられる。**3** シェプフェル中尉機(P.18)のオクタン価表示。燃料誤注入に対する予防措置として赤いベースになっている。**4** ガランド大佐機(P.20)の表示。**5** ミュンヘベルク機(P.22)の表示。C3燃料とは94〜100オクタンのもので、DB601Nエンジンを搭載した機体で使われた。機体によっては「100」と書かれている場合もある

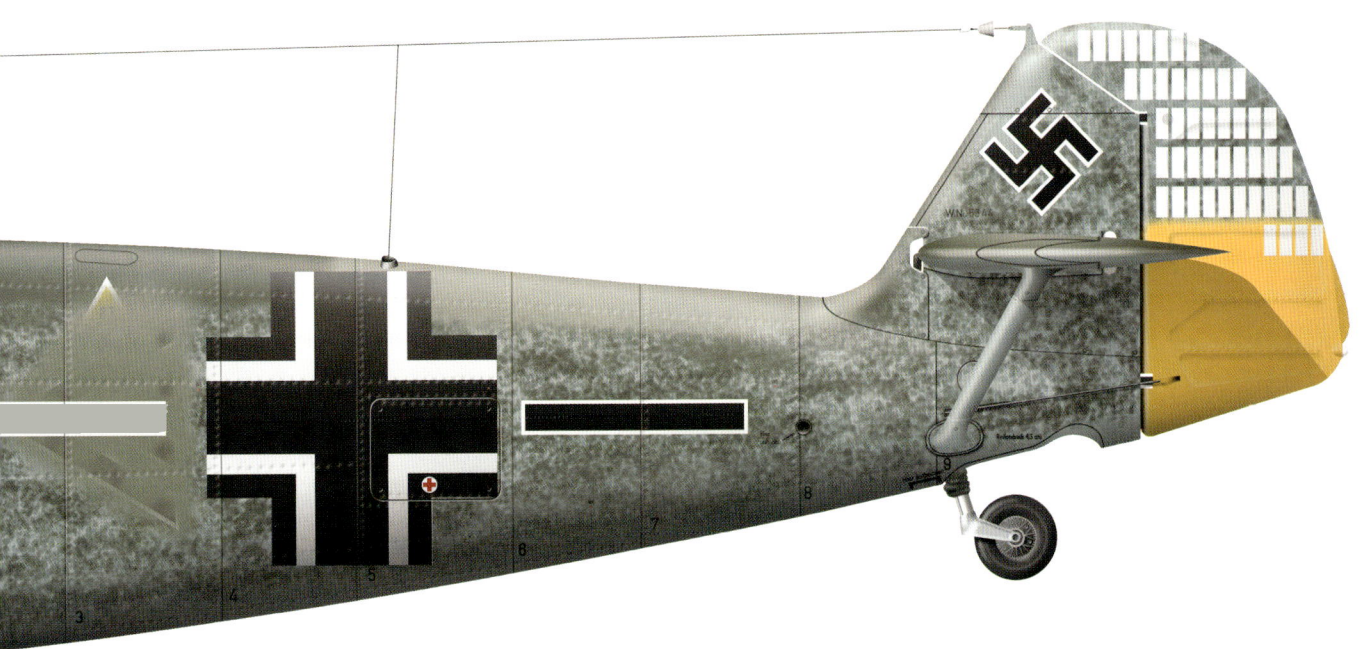

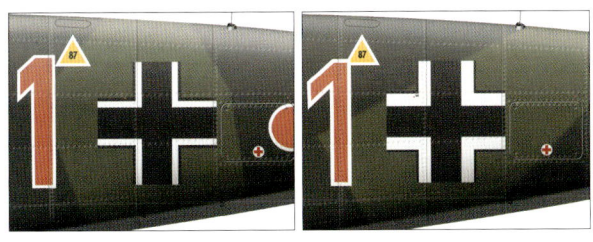

▲1939年夏におけるハンネス・トラウトロフト機(P.4)と同じく9月におけるエードゥアルト・ノイマン機(P.14)の胴体バルケンクロイツ。これらは1939年1月30日の規定に基づき小型かつ胴体前よりに描かれている。ドイツ空軍機の標識は、第二次世界大戦勃発後の1939年9月末から10月にかけて規定が改訂された

▶水平安定板の直上、垂直安定板部分に描かれている製造番号の表記で上がヨセフ・プリラー機(P.16)下がアードルフ・ガランド機(P.20)の製造番号の表記。下図のものが傾いているのは、駐機状態で書き込まれたためだと思われる。尾輪式の飛行機のマーク類はこの様に若干傾いて描かれているものが散見される

この戦いで問題となったのは、E型の航続力不足である。D型と比べて200km以上も航続距離が増大したとはいえ、爆撃機の護衛任務に就いた場合、イギリス上空でせいぜい15分ほどしか戦うことができず、作戦的な柔軟性が大幅に制限されていたからだ。しかし、これはもともと開発時期の1930年代に戦闘機に期待されていた役割が、敵高速爆撃機の迎撃だったためであり、敵地への長駆侵攻を想定していない。誤算と言うなら、敵国上空への侵攻用の戦闘機であったはずのBf110双発戦闘機が、単座戦闘機に歯が立たなかったことだろう。

以上の戦訓を受けて、E型には航続力不足を補うために増槽の取り付けを可能としたE-7、E-8や写真偵察型の他、高々度性能を改善するためにGM-1ブースターを搭載したE-7/Z型、北アフリカでの苛酷な条件に対応するため、防塵フィルターを装着したBf109E-7/Tropなど、様々なサブタイプがある。また、ETC500・IXbラックを装着し、500kgまでの爆弾を搭載できる戦闘爆撃型も登場した。

このようにBf109Eは、主力戦闘機として大戦序盤に活躍したが、1941年に入るとF型への置き換えが進み、同年6月に独ソ戦に投入されたBf109に占める割合は、約3割にまで低下していた。

文／宮永忠将
Text by Tadamasa MIYANAGA

Bf109E-1 red 1+red circle and double red band with white edge W.Nr.4027
Summer 1939 Juliusburg Germany Staffelkapitän 2./JG77 Hauptmann Hannes Trautloft

Bf109E-1 赤1＋赤○ 白縁付赤帯2本　W.Nr.4027
1939年夏　ユリウスブルグ　ドイツ　第77戦闘航空団第Ⅰ飛行隊第2中隊　ハンネス・トラウトロフト大尉

後に、「グリュンヘルツ(緑のハート)」マークの航空団JG54の司令として知られるようになる、58機もの総撃墜数を達成したエースであるハンネス・トラウトロフト大佐が、大尉としてJG77の第2中隊長の任にあった時代に使用した機体である。機首カウリングの7.92mm機銃弾道溝は黄色に塗装されていると考えられる。また、カウリングには部隊マークのブーツの絵が描かれている。胴体の赤丸と2本の帯は標準のマーキングではないが、同中隊の写真を見てみると、赤丸は各機体に描かれているのがわかる

Bf109E-1 red 1 W.Nr.?
September 1939 Werl Germany Saffelkapitän 8./JG26 Oberleutnant Eduard Neumann

Bf109E-1 赤1　W.Nr.不明
1939年9月　ヴェルル　ドイツ　第26戦闘航空団第Ⅲ飛行隊第8中隊長　エードゥアルト・ノイマン中尉

後にⅠ/JG27の飛行隊長となり、「アフリカの星」ハンス・ヨアヒム・マルセイユの上官として知られるようになるエーデュアルト・ノイマン大尉が中尉時代にJG26の第8中隊長として使用した機体である。操縦席前方にはJG26の「シュラーゲダー」のマークがあり、後方には第8中隊のマークである「アダムゾン」が描かれている。機体全体を収めた写真が無く、部分的な写真からこのイラストを描いた。無線アンテナマストにとりつけられた中隊長を示す三角ペナントは中隊色の赤で塗装されている

Bf109E-1 yellow 13 W.Nr.?
March 1940 Wangerooge Germany 6.(J)/ Trägergruppe 186 Oberfeldwebel Kurt Ubben

Bf109E-1 黄色13　W.Nr.不明
1940年3月　ヴァンゲローゲ島　ドイツ　第186輸送航空団第6(戦闘)中隊　クルト・ウッベン曹長

航空母艦グラーフ・ツェッペリンに搭載される飛行隊として編成された第186輸送航空団の戦闘機隊は、第二次大戦開戦以来、ドイツ北部海岸沿いの島に基地をおいてヴィルヘルムスハーフェンなどの北部海岸地帯に対する英国空軍爆撃機の攻撃に対峙していた。同戦闘機隊は1940年6月の航空母艦航空兵力整備計画が変更されたことに伴いJG77に編入された。この中隊では各機の側面に箒に跨る魔女の絵が描かれているが、機体毎に色や形状が異なっている。機番13は赤色とする説もあるが、黄色と判断した

Bf109E-1/B yellow 10 W.Nr.?
Later half of 1940 Chennel front of France II Gruppe of Jagdgeschwader 54 Pilot Unknown

Bf109E-1/B 黄色10　W.Nr.不明
1940年後半　フランス海峡地域　第54戦闘航空団第Ⅱ飛行隊

1940年7月から始まったバトル・オブ・ブリテンでは、海峡近くの重要施設・船舶に対する攻撃に爆撃機を使用することは困難であることが判明した。解決策として、高速機動が可能な戦闘機に爆弾を搭載し、これを攻撃することとした。Bf109E型では旧式のE-1に爆弾架を取り付けた機体が使用されている。このイラストの機体もE-1改造の戦闘爆撃機で、Ⅱ./JG54独特のRLM02/70の蛇行迷彩が施されている

Bf109E-3 black double chevron +vertical bar W.Nr.?
August 1940 Marquise France Gruppenkommandeur of III./ Jagdgeschwader26 Major Adolf Galland

Bf109E-3 黒二重楔縦棒　W.Nr.不明
1940年8月　マルキーズ　フランス　第26戦闘航空団第Ⅲ飛行隊長　アードルフ・ガランド少佐

1940年8月、マルキーズを基地とするⅢ./JG26の飛行隊長アードルフ・ガランド少佐の搭乗機である。方向舵には黒色で10個の撃墜マーク（上段）、赤色で12個（中段10個、下段2個）の合計22個の撃墜マークが描かれている。機体の塗装は標準色とは異なる明るいグレーの迷彩が施されている。W.Nr.を5398とする説もあるが、これは別の機体のもので、本機のW.Nr.は不明である。無線アンテナ空中線は水平尾翼にも張られており、少なくとも左水平尾翼に展張されていることが写真から判断できる

Bf109E-3 yellow 1 W.Nr.5057
October 1940 Mardyck France 6./JG51 Staffelkapitän Oberleutnant Josef Priller

Bf109E-3 黄1　W.Nr.5057
1940年10月　マルディック　フランス　第51戦闘航空団第Ⅱ飛行隊第6中隊長　ヨセフ・プリラー中尉

後にJG26の司令として、また、Fw190のエースとして有名になるヨセフ・プリラーが6./JG51中隊長として使用していた機体である。塗装はRLM71/02/65で一部はRLM70でオーバースプレーされている。機体後部にはチェンバレン英首相を皮肉ったワタリガラスの部隊マークが描かれている。また撃墜マークは方向舵ではなく垂直安定板に描かれている。無線アンテナマストは中隊長機の識別のために白く塗装されているように見える。JG51時代のプリラーのE型には幾つかの塗装パターンがあり興味深い

Bf109E-3 23◎42 W.Nr.?
'40s to Early '50s Spain Pilot Unknown

Bf109E-3　23◎42　W.Nr.不明
'40-'50年代初頭　スペイン

スペイン市民戦争時にドイツから供給されたBf109Eは、内戦終了後、新生スペイン空軍に再編入された。それまでに施されていた6●111マーキングから23◎42のマーキングに書き換えられ戦後も使用されており、不時着した写真が残っている。スペイン空軍のBf109はエンジンの排気ガスによる汚れを目立たなくするために、翼の付け根と排気管周辺は黒く塗られているが、細部は各機により若干異なっているようである

Bf109E-3a J-355 W.Nr.2422
1940 Swiss

Bf109E-3a J-355　W.Nr.2422
1940年　スイス

Bf109E-3aは輸出用のモデルであり、スイスやユーゴスラビアに輸出された。スイス空軍の場合は搭載銃器が変更されているため、操縦席前方のカウリング上部にあるプロペラ機銃同調装置用バルジの形状が異なっている。機体は上面をRLM70で、下面はRLM65で塗装されている。この機体は戦後の'49年12月28日まで在籍し、その間に幾度か塗装の変更があったが、現在はスイス デューレンドルフにある空軍（軍事）博物館に、この塗装の状態で歴代のスイス空軍使用機とともに保存展示されている

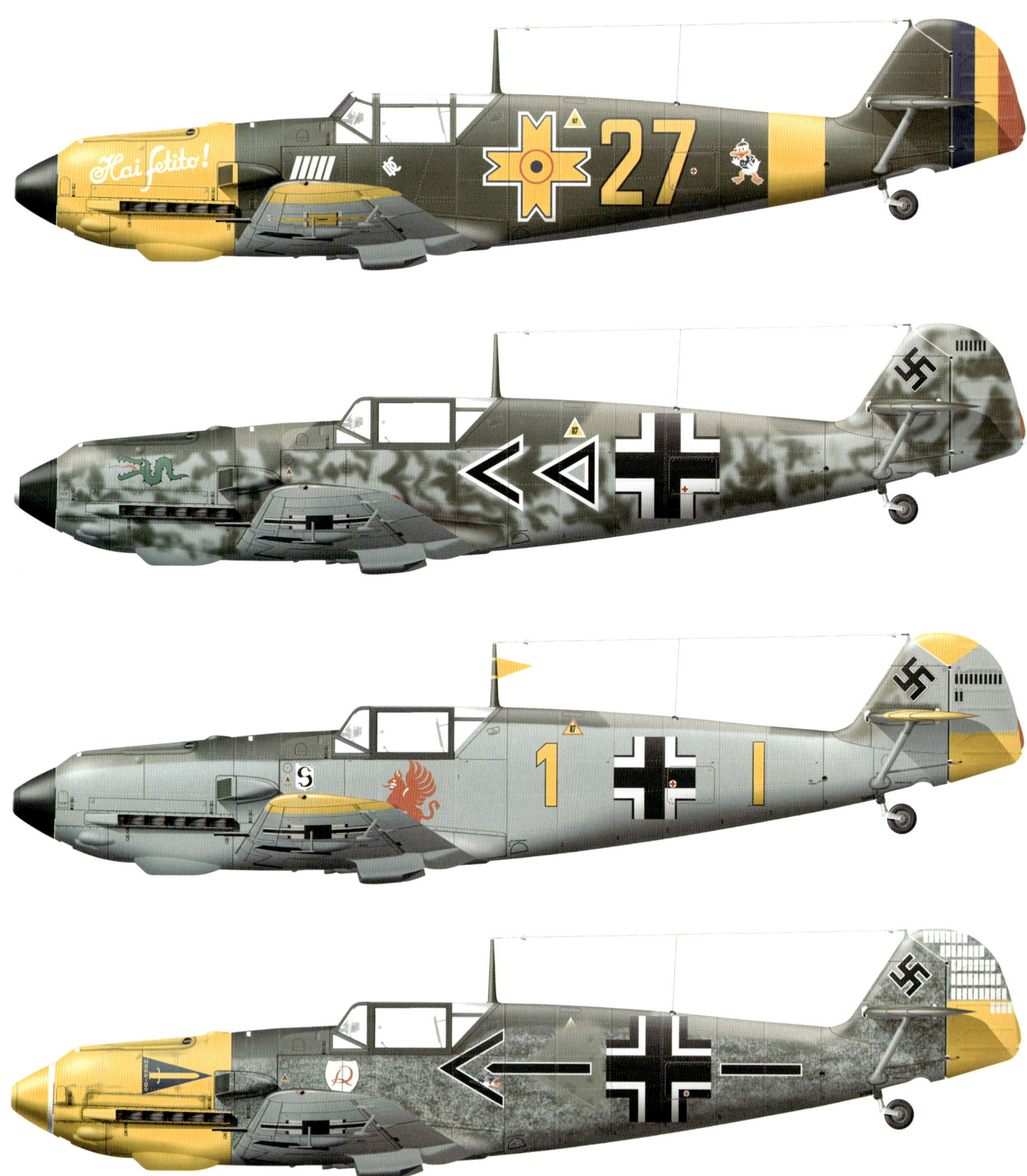

Bf109E-3 yellow 27 W.Nr.2629
July 1941 Rumania Grupul 7 Lt. av. (r) Ioan Di Cezare

Bf109E-3 黄27 W.Nr.2629
1941年7月　ルーマニア　第7戦闘群　イオアン・ディ・チェザレ予備中尉

46ページに掲載されているBf109G-2と同じくディ・チェザレ中尉が使用したBf109E-3である。エンジンカウリングを黄色塗装するほか、翼端や胴体後部に黄色の東部戦線識別帯を施しているのは東部戦線のドイツ軍機と同様であるが、機体は上面をRLM71、下面をRLM65で塗られている。胴体の後方にはアヒルをモチーフにしたイラストが描かれている。操縦席前方側面にある5本の帯は、有効な低空攻撃の実施回数とされている。写真では確認できなかったが、スピナーの1/3は白く塗られている可能性がある

Bf109E-4 black chevron&triangle W.Nr.?
June, 1940 Berneuil France Gruppenkommandeur of I. / Jagdgeschwader 3 Hauptmann Günther Lützow

Bf109E-4 変形二重楔　W.Nr.不明
1940年6月　ベルヌイユ　フランス　第3戦闘航空団第Ⅰ飛行隊長　ギュンター・リュツォウ大尉

1940年6月、ドーバー海峡沿いのベルヌイユに基地をおく第3戦闘航空団第Ⅰ飛行隊長ギュンター・リュツォウ大尉の乗機E-4は、通常の2重楔とは異なる飛行隊長記号を胴体に描いている。機首には、当時の航空団のエンブレムであるTatzelwurm(伝説上の怪物の竜)が緑色で描かれている。機体上部はRLM02/71の迷彩塗装、胴体側面はRLM65の上にRLM71で太い帯状の迷彩が吹きつけられている。方向舵には7機分の撃墜マークが描かれている

Bf109E-4 yellow 1 W.Nr.?
August 1940 Caffier France Staffelkapitän of 9./Jagdgeschwader 26 Oberleutnant Gerhard Schöpfel

Bf109E-4 黄色1　W.Nr.不明
1940年8月　カフィエ　フランス　第26戦闘航空団第Ⅲ飛行隊第9中隊長　ゲーアハルト・シェプフェル中尉

後に、JG4、JG6の航空団司令になるシュプフェル中尉が1940年8月、JG26の第9中隊長であった当時の搭乗機である。胴体には同中隊のマークであるHöllenhund(地獄の番犬)が描かれている。識別目的で、主翼翼端、水平尾翼の翼端、および垂直尾翼の先端も黄色に塗られている。写真では確認できなかったが、同時期のJG26ではC3燃料使用機の導入に伴い識別のため、従来の87オクタン燃料使用機については、オクタン価表示の周囲は赤色で縁どられているので、そのように描いている

Bf109E-4 Kommodore marking W.Nr.5344
Autumn 1940 Beaumont-le-Roger France Kommodore of Jagdgeschwader 2 Major Helmut Wick

Bf109E-4 航空団司令記号　W.Nr.5344
1940年秋　ボーモン・ル・ロジェ　フランス　第2戦闘航空団司令　ヘルムート・ヴィック少佐

バトル・オブ・ブリテンにおいて短期間に撃墜数を伸ばし、1940年11月に海峡上空の空中戦で行方不明になったヴィック少佐がJG2の司令に就任した時期の塗装である。ヴィックはW.Nr.5344のE-4を飛行隊長時代から継続的に使用しているので、飛行隊長を示す二重楔のマークをラフにRLM02で消している。彼の個人マークであるカワセミの絵は、その一部が航空団司令の楔マークにより消されている。本機はこの後、方向舵の撃墜マークを書き換えるとともに、迷彩も一部変更している

Bf109E-4 black double chevron W.Nr.?
Autumn 1940 Audembert France Gruppenkommandeur of I./Jagdgeschwader 26 Hauptmann Rolf Pingel

Bf109E-4 黒の二重楔　W.Nr.不明
1940年秋　オデンベール　フランス　第26戦闘航空団第Ⅰ飛行隊長　ロルフ・ピンゲル大尉

翌年、Bf109Fに搭乗中、英国に不時着して捕虜になるピンゲル大尉(乗機のF型は後日英空軍によって修復され、試験飛行に供された)が、1940年秋に搭乗していた機体である。RLM02/71で迷彩が施されており、胴体側面にJG26の部隊マーク「シュラーゲーダ」と彼が戦闘してきたスペイン、オランダ、ベルギー、フランス、英国の国旗が描かれている。方向舵に描かれているのは、赤色の17個の撃墜マークである

Bf109E-4/N Kommodore marking W.Nr.5819
Autumn 1940 Audembert France Kommodore of Jagdgeschwader 26 Oberst Adolf Galland

Bf109E-4/N 航空団司令記号　W.Nr.5819
1940年秋　オデンベール　フランス　第26戦闘航空団司令　アードルフ・ガランド大佐

後にドイツ空軍最年少の将官になるアードルフ・ガランドが大佐でJG26の航空団司令の時代に搭乗していたE-4/Nである。E-4/NはC3燃料を使用するDB601Nエンジンを搭載したE型である。方向舵には、黒色と赤色で塗り分けられた撃墜マークが、日付とともに描かれている。この機体には、彼のトレードマークである有名な個人マークがコクピットの側面に描かれている

Bf109E-4/N Kommodore marking W.Nr.5966
Autumn 1940 Audembert France Kommodore of Jagdgeschwader 26 Oberst Adolf Galland

Bf109E-4/N 航空団司令記号　W.Nr.5966
1940年秋　オデンベール　フランス　第26戦闘航空団司令　アードルフ・ガランド大佐

上のW.Nr.5819と同時期に予備機として使用されたE-4/Nである。この機体にはガランドの有名な個人マークはなく、航空団司令記号の楔の形状はW.Nr.5819とは若干異なるものである。撃墜マークもこの機体では黒一色で描かれていると考えられる。エンジンカウリング部の黄色塗装部分も、W.Nr.5819機の場合とは異なっている。W.Nr.5819機と同様、遠方識別用に望遠鏡を照準器横に装備しているが、射撃照準にはRev.12を使用している

Bf109E-4 white 7 W.Nr.3317
October 1942 Piešt'any Slovenska Letka 13 Pilot Catnik Štefan Martiš

Bf109E-4 白7　W.Nr.3317
1942年10月　ビエシュチャニ　スロヴァキア　第13飛行隊　シュテファン・マルティシュ軍曹

この機体は以前Ⅰ/JG52で使用されていたもので、RLM02/71/65で塗装されていると考えられる。1942年秋にスロヴァキア空軍に供給され、第13飛行隊のシュテファン・マルティシュ軍曹などが使用した。カウリング側面にはスロヴァキアの象徴、太陽の昇る丘に建つロレーヌ十字が描かれている。その後、この機体は塗装をたびたび改めて使用されたが、1944年4月に胴体着陸し、修理不可能となり廃棄された

Reference : Embrems of Bf109 [02]

03-1
【個人エンブレム・その1】

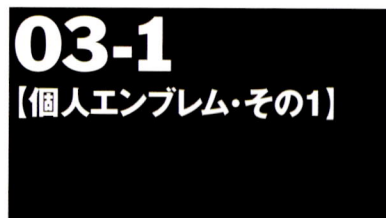
ミヒャエル・シュミット
伍長機

第52戦闘航空団第III飛行隊
第9中隊長
エーリッヒ・ハルトマン少尉機
(1943年10月)

第52戦闘航空団第III飛行隊
第9中隊長
エーリッヒ・ハルトマン中尉機
(1944年8月)

第53戦闘航空団
第I飛行隊長代理
エーリッヒ・ハルトマン大尉機
(1945年2月)

ブルガリア2.6大隊第625中隊
ステファン・マリノポルスキ
少尉機

Bf109E-7/N white 12 W.Nr.?
March 1941 Sicily Italia Staffelkapitän of 7./JG26 Oberleutnant Joachim Müncheberg

Bf109E-7/N 白12 W.Nr.不明
1941年3月　シシリー島　イタリア　第26戦闘航空団第Ⅲ飛行隊第7中隊長　ヨアヒム・ミュンヘベルグ中尉

ミュンヘベルグ中尉は中隊長として「白1」、「白12」の両機を使用していたが、その内の一機がこの機体である。胴体後部には地中海戦域を示す白帯が描かれている。方向舵には赤色と黒色の2色で撃墜マークが描かれており、32機の戦果の内、2番目の撃墜機はフランス機で残りはすべて英国機であることが撃墜マーク上のラウンデルでわかる。無線アンテナマストにとりつけられた中隊長を示す三角ペナントは中隊色の白色で塗装されていたと考えられる

Bf109E-7/Trop black double chevron
Summer 1941 Gazala Libya Kommandeur of I./JG27 Hauptmann Eduard Neumann

Bf109E-7/Trop 黒2重楔 W.Nr.不明
1941年夏　ガザラ　リビア　第27戦闘航空団第Ⅰ飛行隊長　エードゥアルト・ノイマン大尉

北アフリカのリビアに展開していたJG27第Ⅰ飛行隊長エードゥアルト・ノイマン大尉の搭乗機である。北アフリカでの使用を可能にするために砂塵除けのフィルターが過給器吸入口に設けられている。写真を見ると8機の撃墜マークが黄色で塗装された方向舵の上に描かれている。地中海戦域を示す胴体の白帯が描かれているが、塗装色は以前のヨーロッパでの標準塗装であるRLM02/71のままである。新型のBf109F型はⅡ./JG27に41年秋から導入され、以後逐次JG27の各飛行隊がE型からF型に変更された

Bf109E-7 white 1 W.Nr.?
June 1941 Kagamigahara Gifu Prefecture Japan Japanese Army Wilhelm Stöhr

Bf109E-7 白1 W.Nr. 不明
1941年6月　岐阜県各務ヶ原　日本　日本陸軍　ヴィリー・シュテーア

日本陸軍が研究目的で輸入した機体であり、塗装は時期的にRLM74/75/76であると判断したが、RLM02/71/65の可能性もある。岐阜県各務ヶ原にある川崎航空機で組み立てられ、キ44、キ60と模擬空中戦を実施した。特にキ44の採用には大きな役割を果たしたと考えられている。写真を見る限りは、主翼のMGFF機関砲は装備されていないようだ。長時間輸送されたためか、方向舵の塗装が固定器具のはめられていた部分のみ剥がれてRLM76が顔を出している

第2戦闘航空団司令
ヘルムート・ヴィック少佐機

第186輸送航空団
第6(戦闘)中隊
クルト・ウッペン曹長機

コンドル軍第88戦闘飛行団
第2中隊
ゴッドハルト・ヘンドリック
大尉機

第26戦闘航空団司令
アードルフ・ガランド機

Messersch
Bf109F "Fr

写真／野原 茂
Photo by Shigeru NOHARA

Bf109Eの性能は、ダイムラー社のDB601系エンジンを搭載したことで、D型から劇的に向上した。しかし、性能向上に伴う機体への負担増加は、当初から弱点視されていた足回りの故障を頻発させることにもなった。この生来のBf109の弱点が反省材料となって、ドイツ空軍戦闘機のもう一つの柱となるフォッケウルフFw190の開発に活かされたとも言える。同様に、E型の弱点を加味しつつ、本命視されるDB601Eに最適化した機体として、徹底的にチューンナップされたのがBf109Fシリーズである。

　まず外見的な印象として、F型は無骨だったE型よりも全体的に丸みを帯びている。変化を象徴するのが主翼形状で、E型の翼端が角形だったのに対して、F型の翼端は誘導抵抗を減らすために放物線形に切り取られている。さらに個別的に見ていくと、まず大型スピナーを装着することで、機首の形状が単純になり、かつカウリングが上下対称のスマートな形状になって突起物が減っている。また、細かい部分を見ても、尾輪を引き込み式にしたり、水平安定板を支えていた斜支持を廃止するなど、空気抵抗を減らそうとする努力が徹底していた。ただし、斜支持の廃止によって尾翼の構造が弱体化した結果、初期のF型はたびたび空中分解事故を起こしている。そのため、F型は生産期間中にも機尾構造の強化に取り組まなければならず、最終的に左右の水平安定板に4本の補強材が加えられた。

　もっとも重要な改良点はラジエーターの小型化だろう。Jumo210系エンジンだったD型まで、ラジエーターはカウリングの下部に収納されていた。ラジエーターの冷却効率を上げるには、全面に均等に空気が取り入れられることが重要であるが、機体表面を流れる空気の速度は自身の粘性で境界層によるばらつきが生じるため、機体の後方にいくほど取り入れ効率が悪化してしまう。この点、機首近くにラジエーターを設置すれば効率は上がるが、空気抵抗の増大をまないてしまう。

　DB601エンジンの搭載に関連して、E型では主翼の後縁下部にラジエーターを移し、ラジエーターからの出口後方にあたるフラップの下部にフェアリングを装着して、空気抵抗を減少させている。F型ではE型の機構をさらに洗練させて、空気取り入れ口に境界層排除流路を設けて空気の流れを均一化し、冷却効率を高めてラジエーターを小型化するのに成功した。さらにクーラー・フラップを2枚連動させて、着陸用フラップと兼用させるなど、鋭い着想も盛り込まれている。地味な改良であるが、F型は大戦を通じて最も有効なラジエーター設置方法が採用された機体だったと考えられている。

　DB601Eエンジンの完成が遅れた結果、F型の試験機はE型と同じDB601Nを搭載していたが、この機体がほぼすべての項目でE型を凌駕したため、1940年秋からドイツ軍の主力戦闘機として生産が始まった。Bf109シリーズは、F型を最終として、Fw190との置き換えが進む予定だったが、Fw190の生産が遅延したため、F型の生産は1943年まで続けられることとなった。

　武装面の変更もF型の大きな特徴となっている。F型は翼内への機関砲装備を廃止し、代わりにプロペラ軸内に機銃を追加した。最初のBf109F-1は、軸内にMGFF／M 20mm機関砲を搭載している。MGFF機関砲はスイスのエリコン社からのライセンス兵器で、E-3の火力向上にも一役買ったが、初速が遅くて弾道特性が悪く、発射速度も350発／分しかなかった。したがって、搭載数が減ることは明らかにF型の火力低下を招いた。Bf109F-2では、これが高初速のMG151 15mm機銃に換装されたが、今度は威力低下に甘んじなければならない。しかし、本命のDB601Eエンジンの供給が始まると、1942年からついにマウザー製MG151／20 20mm機関砲を搭載したBf109F-4が生産に入った。これは初速790m／秒、発射速度も780発／分と高性能で、銃身も長く、弾道特性に優れた火器だった。

　また、機銃をプロペラ軸内配置にしたことによって、重量バランスが機体の軸周辺に集中することにもなり、機体の機動性向上に大きくプラスしている。一連の工夫の相乗効果によって、同エンジンを搭載したE-4との比較テストでは高度1000mにおける360度旋回所要時間は、E-4の25秒に対して18秒と大幅に向上した。

　このように武装の数を減らしてでも、F型が機動性と速度性能を追求したことについては、空軍内でも論争があった。当時、第26戦闘航空団司令官だったアドルフ・ガーラント中佐は、機関砲の数が減ったことに対し、攻撃機会の減少を招くとして不満を持っていた。しかし、F型を受領した当時、第51戦闘航空団司令だったヴェルナー・メルダースをはじめとするエースパイロットの多くは、機体の性能向上を歓迎している。

　実際、DB601A（1020hp）を搭載したBf109E-3と、DB601N（1200hp）を積んだBf109F-1との比較では、高度5000mで前者が時速540kmだったのに対して、後者は時速596kmと突き放すなど、あらゆる高度で速度の向上が見られた。これが離昇出力1350hpのDB601Eを搭載したF-4となると、最大速度は時速606kmに達し、上昇性能も良好になっている。

　優れた速度と上昇能力を活かして、高々度からの強襲を得意としていたBf109は、本来、小型軽量の戦闘機である。一撃離脱を得意としたBf109に対して、スピットファイアが旋回性能による格闘戦で応戦した印象から、Bf109は重厚な戦闘機であるというイメージに傾きやすい。しかしB型が7.7mm機銃2挺からスタートしたように、軽武装によって速度を手に入れた高速戦闘機というのが、Bf109の本質である。

◀F型以降では、プロペラスピナーとバックプレートに部品製造会社の社名を入れた左の名盤が取り付けられている

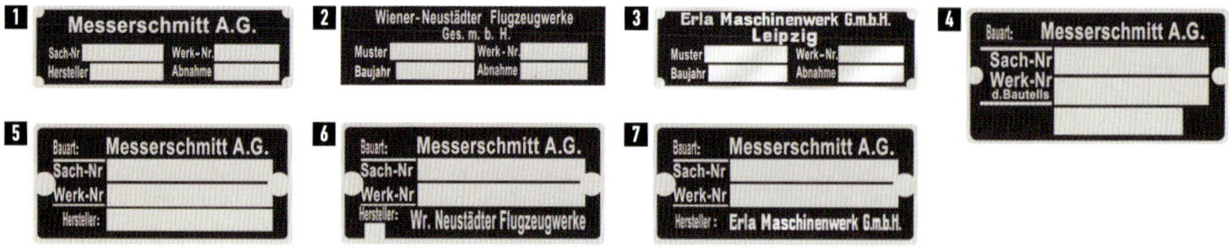

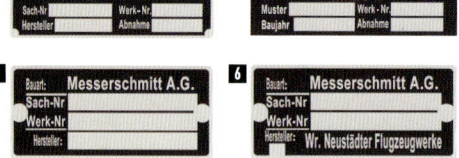

▲Bf109の過給器空気取入口の直後には製造工場名・形式名・製造番号を記入する名盤が付けられるが工場や時期によって様々な種類がある。**1**はメッサーシュミット社と小規模の下請け工場製機体の大型名盤。**2**はヴィーナー・ノイシュタット社製機体の大型名盤。**3**はエルラ社製機体の大型名盤。G型中期までは**123**の名盤が使われていたが、後期になると次に紹介する小型名盤が使われている。**45**メッサー社と小規模下請け製造機の小型名盤。**6**ヴィーナー・イシュタット社製機体の小型名盤**7**エルラ社製機体の小型名盤

Bf109F-4 white chevron with double bars and white band W.Nr.?

Summer 1941 St. Pol France Stab of III Gruppe Jagdgeschwader 2 Oberlutnant Josef Puchinger

Bf109F-4　白楔と縦棒2本に白い帯　W.Nr.不明
1941年夏　サン・ポル　フランス　第2戦闘航空団第III飛行隊本部　ヨーゼフ・ポーチンガー中尉

　しかし、スピットファイアが7.7mm機銃8挺、フランスのドボワチンD.520が7.7mm機銃4挺に加えて20mm機関砲を搭載するなど、多銃化に向かう世界的趨勢に引きずられ、E型では翼内機銃を2挺追加したわけだが、この翼内機銃を廃したF型への転換は、Bf109の当初のコンセプトに立ち返ったものだとも言えるだろう。射撃機会と命中率は訓練や実戦の経験を通じて向上できる、いわばパイロット個々の問題である。一方、速度や上昇性能などの基本的な機体性能はそうはいかない。したがって、前線パイロットの多くがF型を好んだのは自然な流れだと言える。事実、最終撃墜スコア301機を数えるゲルハルト・バルクホルン少佐は、大戦中に乗りこなした機体の中では、Bf109Fが最良だったと評価している。

　しかし、これはあくまで前線パイロット、それも多くの場合エースにふさわしい水準以上の技量をすでに有していた者たちの評価であることを見落としてはならない。戦争が長期化した弊害で、パイロットの質を高水準に保っていたドイツ空軍の育成システムは、F型が主力になった頃には内容の短縮を余儀なくされ、補充として送られてくる新米パイロットの質は低下していた。未熟なパイロットたちにとっては、使いこなすのに時間がかかる繊細な機体よりも、少しでも攻撃機会を増やしてくれる戦闘機の方が望ましかった。その回答が、高々度性能こそ凡庸ながらも、扱いやすくて故障に強く、強力な武装を兼ね備えていたFw190シリーズとなるわけだが、ガーラントらの主張は、大局的な見地からすればBf109シリーズにおいても説得力を持つ。

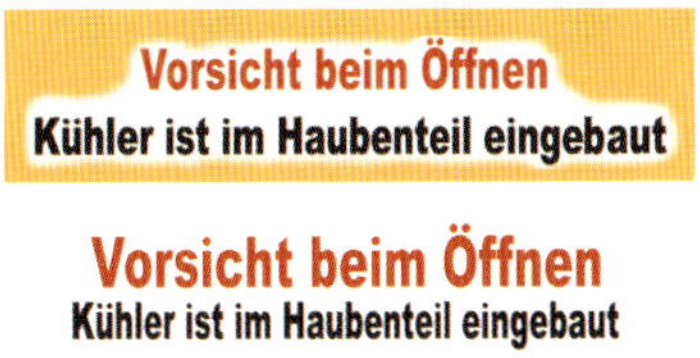
Vorsicht beim Öffnen
Kühler ist im Haubenteil eingebaut
Vorsicht beim Öffnen
Kühler ist im Haubenteil eingebaut

◀機首の下部カウリングの注意書きで意味は「開時における注意　冷却器はカウリングに組み込んでいる」。これもいくつかのバリエーションがあり、上はフォン・ボレムスキ曹長機（P.34）のもの。標準的な書体は下のものになる

87

◀このページの機体は標準的な燃料オクタン価表示を付けている。しかし、この「標準的な表示」もよく見ると少なくとも2種類あり、ハンス・ヨアヒム・マルセイユ機（P.36）のものは左の7の字の先端が折れ曲がったものを付けている。なお、この機体に付けられている方が写真で確認できる数は多い

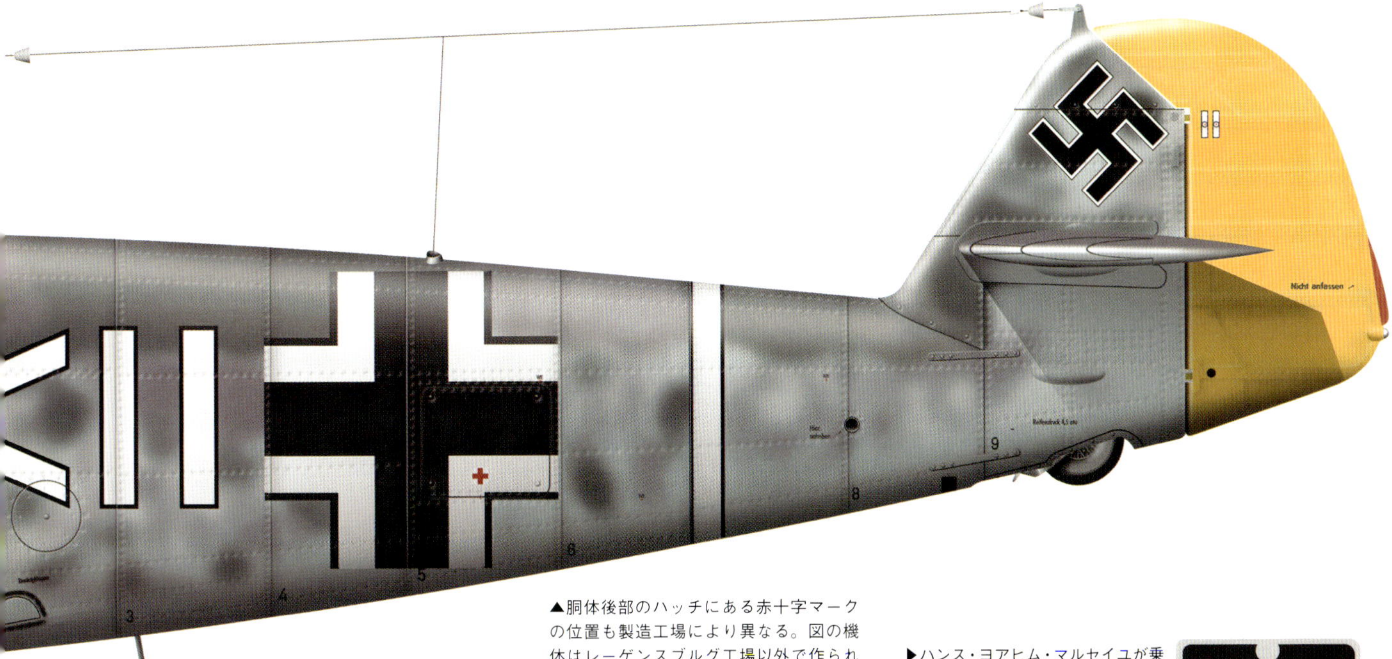
Nicht anfassen

▲胴体後部のハッチにある赤十字マークの位置も製造工場により異なる。図の機体はレーゲンスブルグ工場以外で作られたものを示し、レーゲンスブルグ工場で製造されたものは、シュネル機（P.30）のようにハッチの上側、バルケンクロイツの水平中央位置にマークが付く。また、ハッチ下端に位置合わせのための細い赤線が入るのにも注意されたい

▶ハンス・ヨアヒム・マルセイユが乗ったF-4/trop（P.36）などには垂直尾翼にも名盤を付けていた。おそらく図のようなもの、もしくはこれの四隅にビスが付けられたものと思われる

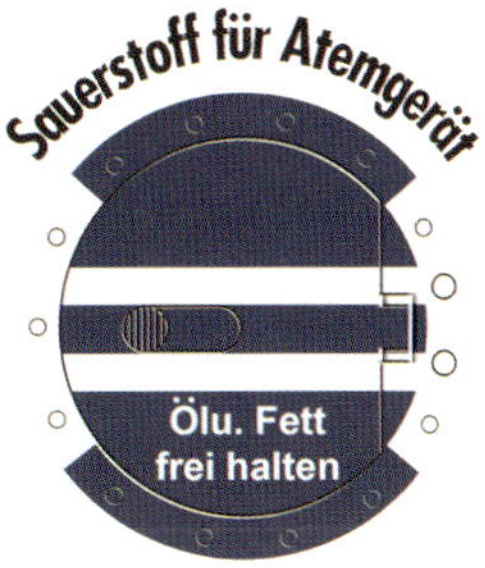
Sauerstoff für Atemgerät
Ölu. Fett
frei halten

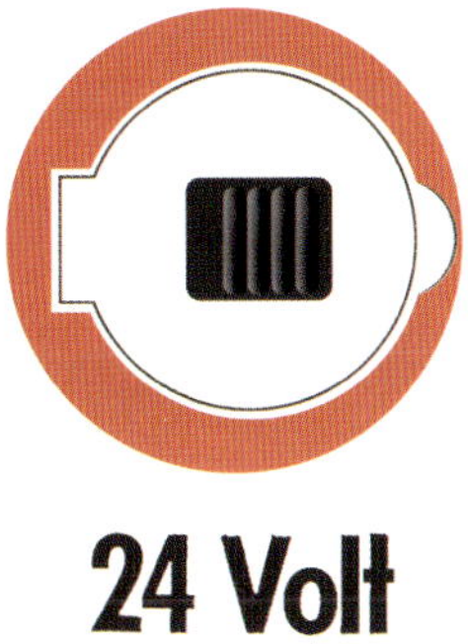
24 Volt

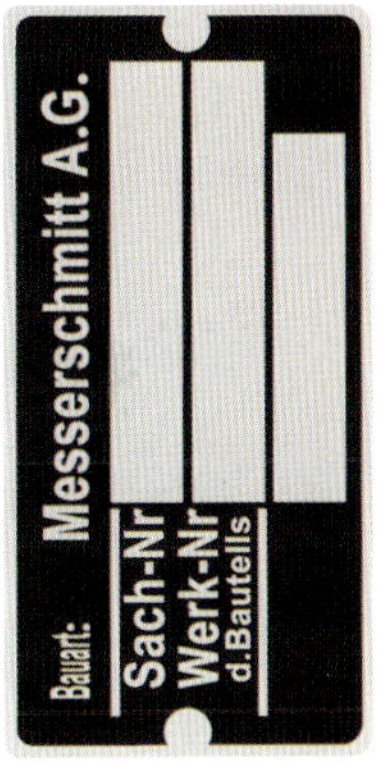
Messerschmitt A.G.
Bauart:
Sach-Nr
Werk-Nr
d.Bauteils

◀本書ではご紹介できなかったBf109の機体右側、コクピット直後の機体中心線より上側には図の外部電源接続口表示（右）と酸素供給口表示（左）がある。電源表示には24ボルトの電圧が記入され、酸素口の上側には「酸素呼吸装置」の表記がある。中世の騎士が乗った馬の伝統を引き継いでか、飛行機は左側は操縦者が乗り込む「貴」の側面とされ、整備に必要なソケット類は右側に集中する傾向にある

さらに戦局の変化もF型には不利に働いた。1942年に入ると、アメリカの第8航空軍のB-17によるヨーロッパ空襲が始まるが、この高速重爆撃機に対して、F型は明らかにパンチ力不足だった。応急的にMG151／20機関砲を収納したゴンドラを主翼に懸架する追加装備が作られ、これを搭載したBf109F-4／R1が登場した。しかし、機動性と運動性への回帰を目指したF型にとって、このような追加武装はまさに矛盾以外の何ものでもなく、守勢に転じたドイツ軍の混乱を象徴しているとも言えるだろう。

スピットファイアMk.IIを圧倒したBf109Fだったが、1941年末に入ると、Mk.Iよりもエンジン出力が50%も向上したスピットファイアMk.Vが登場したため、ドイツ軍はG型への転換を急ぐことになった。したがって、F型の生産数は意外と少なく、資料によってばらつきが見られるものの、E型と同じ4000機程度だと考えられる。派生型も、E型同様、砂漠仕様のBf109F-2／Trop、F-4／Tropの他、GM-1ブースターを装着したBf109F-2／Z、F-4／Zや、ETC250ラックを備えた戦闘爆撃機型も存在している。

文／宮永忠将
Text by Tadamasa MIYANAGA

Bf109F-1 black double chevron and double flat bar W.Nr.5628
March 1941 Channel Coast of France Geschwaderkommodoren JG51 Oberstleutnant Werner Mölders

Bf109F-1 黒の2重シェブロンに横棒2本　W.Nr.5628
1941年3月　フランス海峡地域　第51戦闘航空団司令　ウェルナー・メルダース中佐

Bf109F-1 W.Nr.5628は、'40年8月に製造されたF-1型としてはもっとも初期の機体である。過給器の空気取入口はF型のものだが、主翼のフィレットはE型と同様になっている。カラー写真から塗装は71/02/65と思われ方向舵にはメルダースがそれまでに達成した62機分の撃墜マークと日付および英・仏のラウンデルが描かれているが、公式の記録と彼の認識に相違があり、資料によって国籍マークが異なっていることがある。ここでは方向舵の写真に従っている

Bf109F-1 black double chevron and double flat bar W.Nr.5628
March 1941 Channel Coast of France Geschwaderkommodoren JG51 Oberstleutnant Werner Mölders

Bf109F-1 黒の2重シェブロンに横棒2本　W.Nr.5628
1941年3月　フランス海峡地域　第51戦闘航空団司令　ウェルナー・メルダース中佐

メルダースが62機撃墜を達成した時使用した上の図と同じ機体であるが、撃墜記録が68機にまで増えている。機首にはJG51のエンブレムが描かれ、機銃弾道溝のパネルは取り替えられたのか、カウリングとは別の色である。また風防側面ガラスも分割できない1枚のガラスになっている。この機体は'40年9月から'41年7月まで使用されているが、細かな部分の変更がたびたび実施されている

Bf109F-2 black double chevron black horizontal bar W.Nr.?
August 1941 Samra-See Russia Gruppenkommandeur of II./ Jagdgeschwader 54 Hauptmann Dietrich Hrabak

Bf109F-2 黒二重楔　黒横棒　W.Nr.不明
1941年8月　サムロ海(湖)　ロシア　第54戦闘航空団第Ⅱ飛行隊長　ディートリッヒ・フラバク大尉

独特の塗装で有名な第54戦闘航空団第Ⅱ飛行隊の隊長であるフラバク大尉の機体である。機体の上面はRLM74、機体側面の蛇行状迷彩はRLM70、斑点状の部分はRLM02と考えられる。幹部記号も白黒の線で構成される特殊なものであり、方向舵には英・仏軍機16機とロシア機8機の撃墜マークが描かれている。この機体の主翼前縁は全体が黄色で塗られている。また、スピナーは1/3が白、2/3が前方赤、後方RLM70であり、中間に全周にわたる黒輪が描かれている

Bf109F-2 white chevron and 2 white horizontal bars W.Nr.?
Late Autumn 1941 Siverskaya Russia Kommodore of Jagdgeschwader 54 Major Hannes Trautloft

Bf109F-2 白楔　横棒2本　W.Nr.不明
1941年晩秋　シヴェルスカヤ　ロシア　第54戦闘航空団司令　ハンネス・トラウトロフト少佐

レニングラード方面のシヴェルスカヤに基地を置いた第54戦闘航空団の司令トラウトロフト少佐の機体。方向舵にはポーランドでの1機目から英軍機、ソ連軍機まで26機分の撃墜マークが国籍記号とともに描かれている。塗装は標準的なグレーの上から濃緑色と薄い茶色(RLM02とも考えられる)で迷彩が描かれ、主翼前縁は付け根の部分を除き黄色で塗装、ガンカメラも装備されている。スピナーは2/3が白で1/3がバックプレートと前半分が暗い色(RLM70?)、中央部が明るい色(RLM25?)となっている

30 Digital profile series Vol.1 / Messerschmitt Bf109

type F

Bf109F-2 yellow 9+vertical yellow bar W.Nr.9553
May 1942 Théville France III Gruppe of Jagdgeschwader 2 Oberleutnant Siegfried Schnell

Bf109F-2　黄色9と黄色縦棒　W.Nr.9553
1942年5月　テヴィル　フランス　第2戦闘航空団第Ⅲ飛行隊　ジークフリート・シュネル中尉

1944年2月に東部戦線で戦死するまでに、西部戦線での90機を含む総計93機の撃墜を記録したシュネルが、1942年5月に57機撃墜した時点での搭乗機である。型式は製造番号からF-2ではあるが、イラストでも判るように87オクタンの燃料を使用するエンジンを装備している。塗装を見ると機体後部に剥離が見られるのに比べてエンジンカウリングはそれが見られないため、エンジン部分をそっくり交換したのではないかと思われる。また、柏葉騎士鉄十字章記念のデコレーションはすばらしい出来栄えである

Bf109F-4 white chevron with triangle +white band W.Nr.7183
September 1941 St.Pol France Gruppenkommandeur of III./Jagdgeschwader 2 Hauptmann Hans"Assi"Hahn

Bf109F-4　白の楔と三角に白い帯　W.Nr.7183
1941年9月　サン・ポル　フランス　第2戦闘航空団第Ⅲ飛行隊長　ハンス・"アッシ"・ハーン大尉

トレードマークである雄鶏をカウリングに描いたハーン大尉のF-4である。この時代の第2戦闘航空団所属機でよく実施されたように、機体の排気管と主翼付け根付近は排気ガスによる汚れを目立たなくするために黒く塗装されている。方向舵の撃墜マークの3段目までと4段目の前7本の下地はRLM76のまま塗り残されており、また撃墜マークの1段目の4-6本中の3本はフランス機を撃墜したため、フランスのラウンデルが描かれている

Bf109F-4 white chevron with double bars and white band W.Nr.?
Summer 1941 St.Pol France Stab of III Gruppe Jagdgeschwader 2 Oberlutnant Josef Puchinger

Bf109F-4　白楔と縦棒2本に白い帯　W.Nr.不明
1941年夏　サン・ポル　フランス　第2戦闘航空団第Ⅲ飛行隊本部　ヨーゼフ・ポーチンガー中尉

第2戦闘航空団本部に所属する「<Ⅱ＋Ⅰ」の記号が描かれた機体は2機あるように思われ、その内の1機がこの機体である。他の1機と思われるものは、排気管周辺と主翼の付け根が排気の汚れを目立たなくするために黒で塗装されている。イラストの機体には方向舵に2機の撃墜マークが、上記ハーン機と同様のマークで描かれている。この機体ではハーン機とは異なり、操縦席頭部保護装甲板は上部まで覆うものが取り付けられている

Bf109F-6/U black chevron+2 black horizontal bars W.Nr.6750
December 1941 Audembert France Kommodore of Jagdgeschwader 26 Oberst Adolf Galland

Bf109F-6/U　黒楔と2本の黒横棒　W.Nr.6750
1941年12月　オードンベール　フランス　第26戦闘航空団司令　アードルフ・ガランド大佐

ガランド大佐が航空団司令職を退任する式典で撮影された写真を基にしたイラスト。この機体はF型に機材が替わり武装が減少したことへのガランドの不満に対応してF-2型の主翼に20㎜機関砲MGFFを装備したものである。方向舵には69機の撃墜デコレーションと以降の撃墜マークが日付とともに描かれている。黒色で描かれたのは最後の3機分で、それ以外は赤で描かれたと思われる。方向舵右側の撃墜マークは向きが逆で、機体後方から始まる。なお、FuG25アンテナの存在は写真では確認できなかった

Bf109F-4 F6+WL W.Nr.?
1941 to 1942 Location Unknown 1st Staffel of F122 Pilot : Unknown

Bf109F-4 F6+白WL W.Nr.不明
1941年～1942年頃　所在地不明　第122偵察飛行隊第1中隊長

F-4型のうちで少数生産された写真偵察型で、胴体下部には写真機収納用のバルジと機体から漏れる潤滑油がカメラレンズを汚さないようにするオイルフェンスが設けられている。塗装は当時の戦闘機と同じRLM74/75/76が施されている。偵察機の場合、写真機搭載のスペースを確保するため無線機が搭載されていない機体もあるが、このイラストの機体ではアンテナマストおよび空中線はともに取り付けられている

Bf109F-4 black chevron and 2 black horizontal bars W.Nr.7334
1941 to 1942 Channel Coast France Kommodore of Jagdgeschwader 2 Major Walter Oesau

Bf109F-4 黒楔と黒い横棒2本 W.Nr.7334
1941年～1942年頃　英仏海峡　フランス　第2戦闘航空団司令　ヴァルター・エーザウ少佐

1941～1942年頃のエーザウ少佐の機体。この機体の写真は幾つかあるが、塗装の状況が大きく異なる。イラストの機体は再塗装された後のようで銘板の上にもRLM75が塗られている。同時に幹部記号は小さくなり、その下に薄く元の楔マークが見え、オクタン価表示はシンプルなものになっている。この時期の本部所属の機体はコントラストがなく全体に暗い塗装になっているが、胴体のかなりの部分がRLM75で塗られていたのではないかと考えられる。FuG25アンテナの存在は写真では確認できなかった

Bf109F-4 white 1 W.Nr.7205
November 1941 St.Omer-Arques France Staffelkapitän 1./JG26 Oberleutnant Josef Priller

Bf109F-4 白1 W.Nr.7205
1941年11月　サン・オマー-アルク　フランス　第26戦闘航空団第Ⅰ飛行隊第1中隊長　ヨセフ・プリラー中尉

W.Nr.7205のF-4でヴィーナー・ノイシュタット社製の機体である。プリラーはFw190を乗機にしたイメージが強いが、撃墜数の半分以上はBf109により達成したものである。この機体はPKが撮影した写真があり、RLM74/75/76で塗装されているのが判る。また、彼のトレードマークである、"Jutta"と書き込まれたハートのエースが描かれているが、ここで描かれているものは、後の愛機Fw190のものとは異なっている

Bf109F-4 yellow 1 W.Nr.7420
May 1942 Kharkov Russia Staffelkapitän 9./JG26 Leutnant Hermann Graff

Bf109F-4 黄1 W.Nr.7420
1942年5月　ハリコフ地区　ロシア　第52戦闘航空団第Ⅲ飛行隊第9中隊長　ヘルマン・グラフ少尉

W.Nr.7420のF-4はヴィーナー・ノイシュタット社製の機体で、グラフが104機撃墜を記録した時期の搭乗機である。塗装は74/75/76の標準的なものであるが、やや擦れている。スピンナーとカウリングは全体にRLM04で塗装されている。複数の写真から判断してⅢ/JG52の部隊マーク（ミハイル十字）、第9中隊の赤いハートにKarayaのマークを描いた

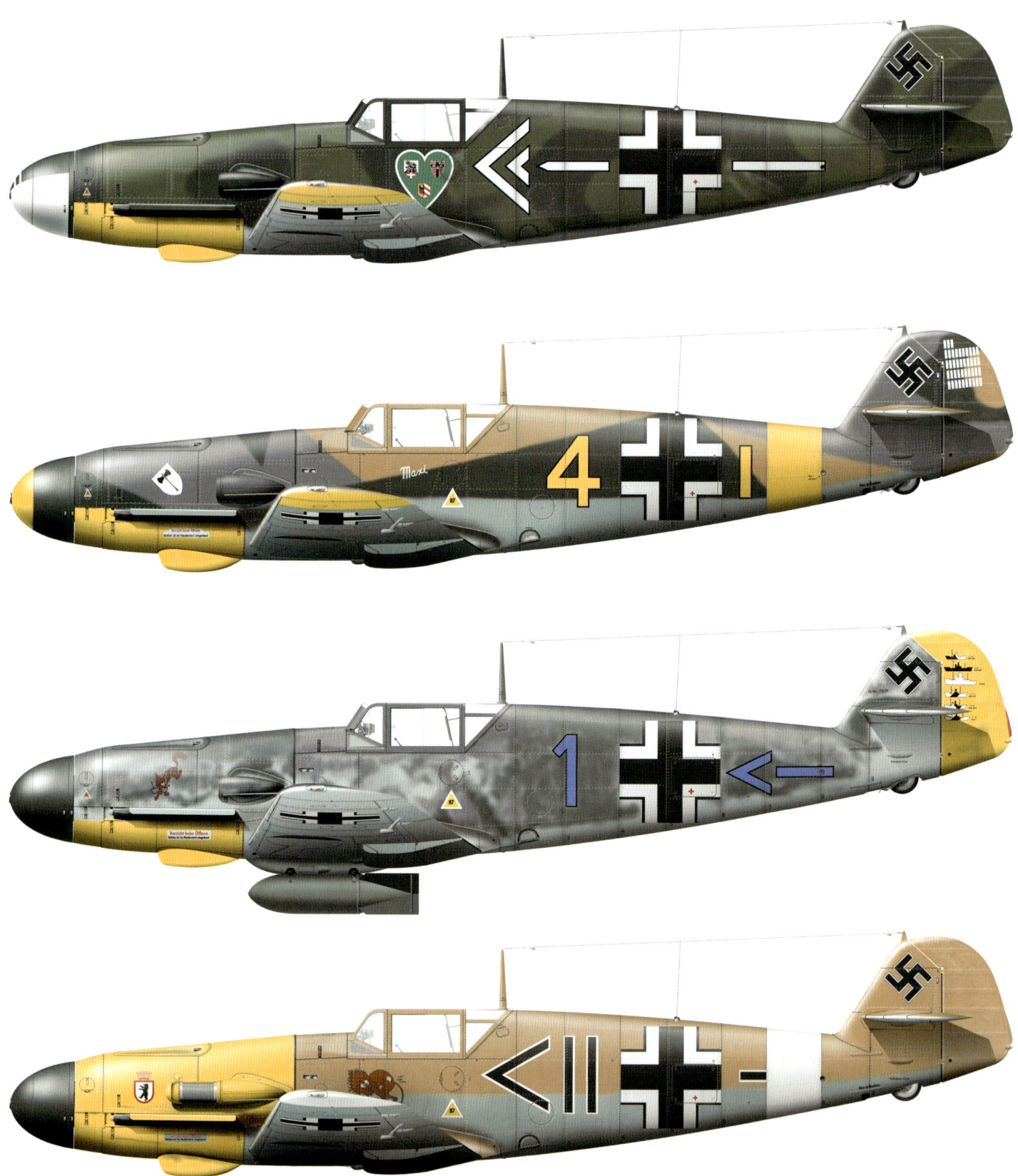

Bf109F-4 white double chevron and 2 white horizontal bars W.Nr.?
May 1942 Siverskaya Russia Kommodore of Jagdgeschwader 54 Major Hannes Trautloft

Bf109F-4 白2重楔 横棒2本 W.Nr.不明
1942年5月　シヴェルスカヤ　ロシア　第54戦闘航空団司令　ハンネス・トラウトロフト少佐

28ページのF-2の後にトラウトロフト少佐が使用したF-4である。工場で施された標準的な塗装の上からRLM70およびRLM71と思われる2色で迷彩がされている。このため、ほとんどすべてのステンシルは消えているものと思われる。スピナーは2/3が白、1/3がRLM70で、RLM70の上には白でリング状の線を記入。操縦席横の部隊マークである"グリュンヘルツ"の中には、左上に第Ⅱ飛行隊、中央下に第Ⅰ飛行隊、右上に第Ⅲ飛行隊のマークが描かれている。なお、この順番が異なっている乗機もある

Bf109F-4 yellow 4 W.Nr.13220
May 1942 Frolov Russia 9th Staffel of Jagdgeschwader 3 Oberfeldwebel Eberhard von Boremski

Bf109F-4 黄色4 W.Nr.13220
1942年5月　フロロフ　ロシア　第3戦闘航空団第Ⅲ飛行隊第9中隊　エーバーハルト・フォン・ボレムスキ曹長

この機体はもともとF-4/Tropとして作られたものが、急遽東部戦線で使用するために整備されたとされている。塗装色はRLM78/79の砂漠塗装の上にRLM70/75で分割線状の迷彩が施されている。操縦席下には個人マーク"Maxi"が描かれている。最初から東部戦線で使用することを前提として整備されたためか、黄色の戦域帯の上から注意書きが描かれている。このような塗装のF-4が一定数Ⅲ/JG3に供給されていた

Bf109F-4/B blue 1 with Jabo marking W.Nr.7629
Spring 1942 Beaumont-le-Roger France Staffelkapitän 10.(Jabo) Jagdgeschwader 2 Oberlutnant Frank Liesendahl

Bf109F-4/B 青1およびJabo特殊記号 W.Nr.7629
1942年春　ボーモン=ル=ロジェー　フランス　第2戦闘航空団第10(Jabo)中隊長　フランク・リーゼンダール中尉

機動力の劣る爆撃機に替わり英仏海峡地域の爆撃任務に従事した戦闘爆撃機の搭乗員リーゼンダール中尉の機体である。通常のグレー系塗装に機体番号を変えるため番号部分はRLM74で塗りつぶされているようだ。方向舵にはそれまでに海峡地域で撃沈した船舶のシルエットが日付とトン数とともに描かれている。リーゼンダール中尉は1942年7月17日に商船攻撃に出撃して、行方不明となった

Bf109F-4 Trop black chevron and double bar W.Nr.?
December 1941 Libya Stab. II/JG27 Oberfeldwebel Otto Schulz

Bf109F-4 Trop 黒のシェブロンと縦棒2本 W.Nr.不明
1941年12月　リビア　第27戦闘航空団第Ⅱ飛行隊本部　オットー・シュルツ上級曹長

Ⅱ/JG27は、JG27でもっとも早くF-4Tropが導入された飛行隊で'41年9月に北アフリカに移動した。Ⅱ/JG27が北アフリカに派遣された時期には、標準塗装であるスピナーと機首・翼端・胴体の帯が白というのは徹底されていないようで、この機体もスピナーやカウリングは欧州標準とされている。胴体の白帯はⅡ飛行隊のマークに上から描かれているようである

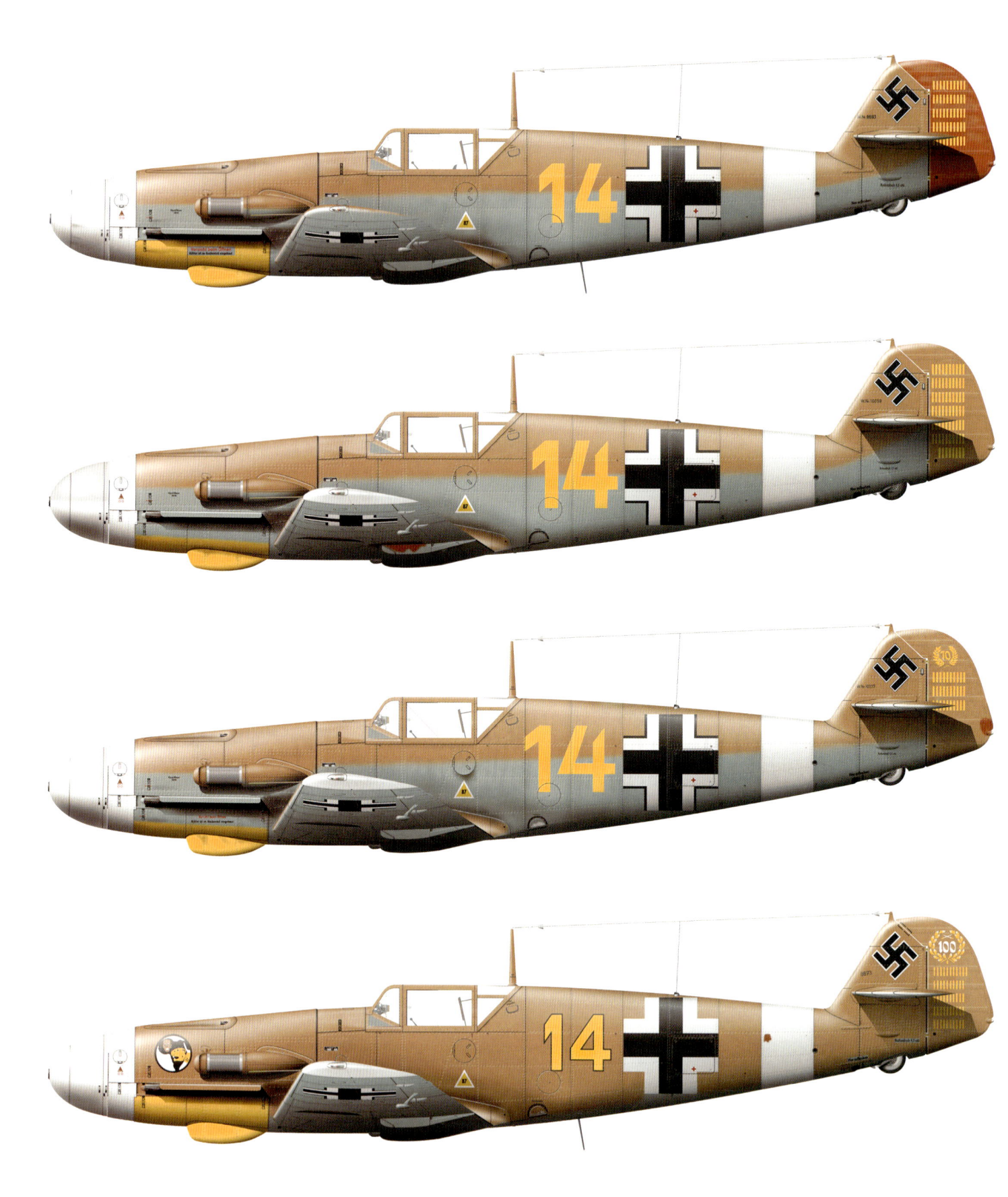

Digital profile series Vol.1 / Messerschmitt Bf109

type F

Bf109F-4/Trop Yellow 14 W.Nr.8693
February 1942 Martuba Libya 3. Staffel Jagdgeschwader 27 Leutnant Hans-Joachim Marseille

Bf109F-4/Trop 黄色14 W.Nr.8693
1942年2月　マルトゥバ　リビア　第27戦闘航空団第I飛行隊第3中隊　ハンス・ヨアヒム・マルセイユ大尉

「アフリカの星」マルセイユが使用した4機のBf109F-4/Tropの内最初に使用したのが、この製造番号8693の機体である。他の3機と異なり翼端の白色塗装は施されていない。また方向舵は使用途中よりプライマーが塗られた。操縦席も他の3機と異なりやや背当てが高く外からでも、その一部を見ることができる。方向舵には、50機の撃墜マークが描かれている。製造番号8000番台のF-4/Tropは尾部ユニット接続部に帯状の外部補強材が取り付けられている

Bf109F-4/Trop Yellow 14 W.Nr.10059
May 1942 Tmimi Libya 3.Staffel Jagdgeschwader 27 Leutnant Hans-Joachim Marseille

Bf109F-4/Trop 黄色14 W.Nr.10059
1942年5月　トミミ　リビア　第27戦闘航空団第I飛行隊第3中隊　ハンス・ヨアヒム・マルセイユ大尉

製造番号10059はマルセイユが2番目に使用したF4/Tropである。製造番号10000番台の機体から帯状の外部補強材がなくなっている。また同時期のJG27に配属された製造番号10000番台のF-4/Tropのいくつかには本機と同様カウリング下部の敵味方識別用RLM04塗装が、下部のパネルのおおよそ下半分にのみ塗られている。写真をみると翼下に装備されたラジエーターの取付部分が黒く写っているので、補修した際に使用されたプライマーではないかと考えている。またスピンナーは白とRLM70のオリジナル塗装の上から白を吹き付けた際に充分に下地が隠蔽されなかったためか、2色に見える。後に別の搭乗員が使用したが、マルセイユが戦死した9月に喪失している

Bf109F-4/Trop Yellow 14 W.Nr.10137
June 1942 Ain-el-Gazala Libya 3. Staffel Jagdgeschwader 27 Oberleutnant Hans-Joachim Marseille

Bf109F-4/Trop 黄色14 W.Nr.10137
1942年6月　アイン・エル・ガザラ　リビア　第27戦闘航空団第I飛行隊第3中隊　ハンス・ヨアヒム・マルセイユ大尉

101機撃墜を果たした時期に使用していたF-4/Tropで増加する撃墜数に対応できるように70機までは記念のマークとして描かれている。この10137機と10059機にはFuG25用アンテナが装備されていない。10059機同様カウリング下部の識別塗装は下半分のみであるが本機にはオイルクーラーの注意書きが見られる。方向舵尾燈付近には左右両面に補修されたためかプライマー塗装が見られる。10059機と似た字体で14が描かれているが、1と4およびバルケンクロイツと4との間隔は異なっている。本機は後に別の搭乗員が使用し喪失している

Bf109F-4/Trop Yellow 14 W.Nr.8673
Spetember 1942 Quotaifiya Egypt 3.Staffel Jagdgeschwader 27 Hauptmann Hans-Joachim Marseille

Bf109F-4/Trop 黄色14 W.Nr.8673
1942年9月　クオタイフィヤ　エジプト　第27戦闘航空団第I飛行隊第3中隊　ハンス・ヨアヒム・マルセイユ大尉

F型としては、彼が最後に使用した機体であるが、製造時期はもっとも早く、長期間北アフリカで使用された機体である。このため塗装に傷みがあったのか、現地で再塗装されたようで、尾輪のタイヤ空気圧に対する注意書にはマスキングされた跡が残っている。また、多くの注意書きは消えてしまっている。上面色が機体下部まで塗られているのは、おそらく駐機中の迷彩効果を高めたいためと思われる。運もよく、調子も良い機体なので彼のために整備されたと考えられる。資料によっては14の下の部分の塗装に塗り替えあとが見えるとするものもあるが、写真をみる限り、色の変化は見られない。また、胴体のバルケン十字に細い黒縁がないのは、現地で再塗装する際には省略してもよいとの通達に従ったものと思われる。この通達は大日本絵画刊「ドイツ空軍塗装大全」に記述がある。機首のアフリカマークは一般に知られているものとは、若干異なっている。また、100機撃墜マークの周囲にある葉の先端は白で描かれている

type F

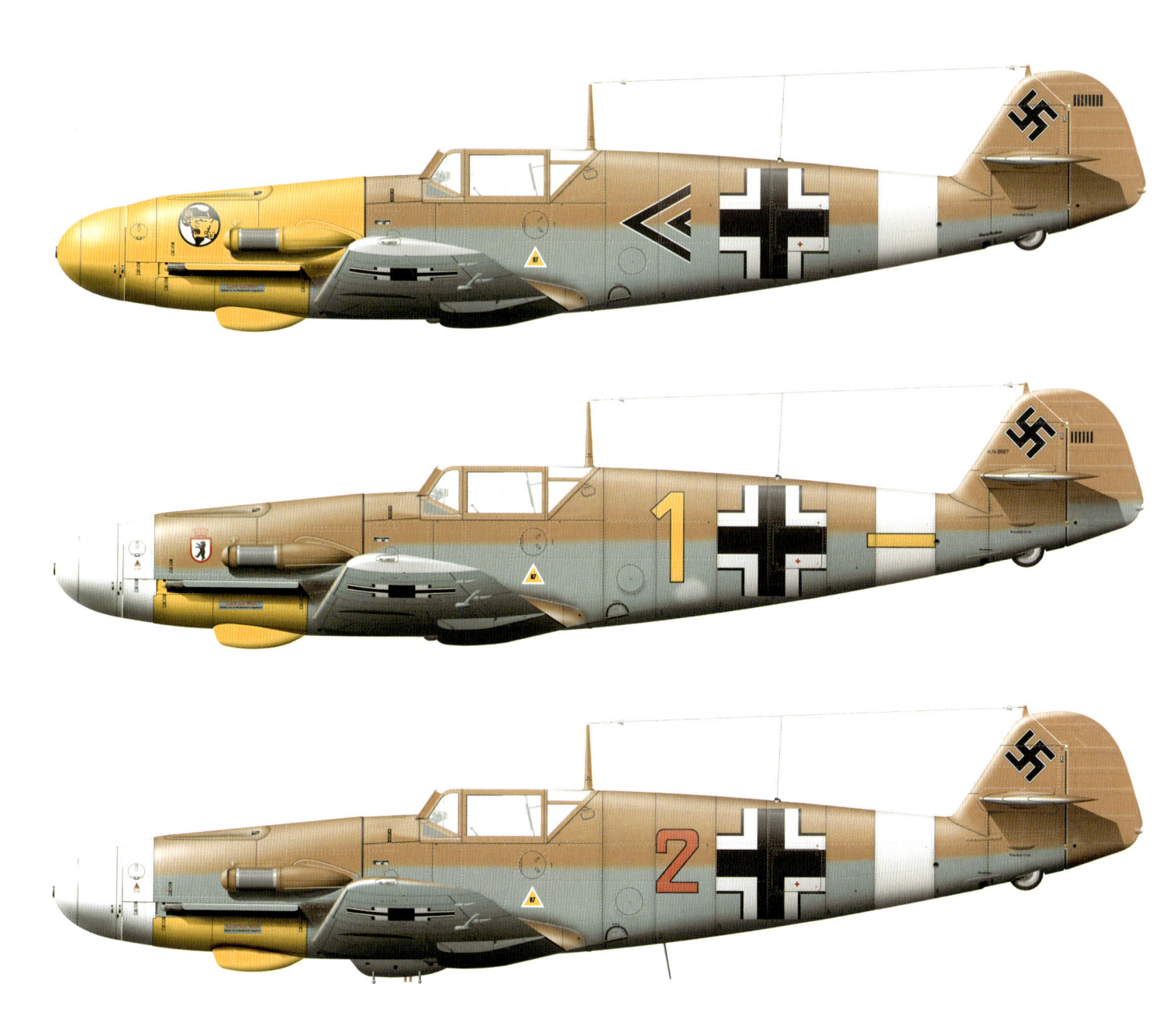

Reference : Embrems of Bf109 [03]

03-2
【個人エンブレム・その2】

Christl	Christl	ΦC	Margg	♥ Jutta ♥
第52戦闘航空団第II飛行隊長 ゲーアハルト・バルクホルン 大尉機（1943年9月）	第52戦闘航空団第II飛行隊長 ゲーアハルト・バルクホルン 大尉機（1944年2月）	ルーマニア第7戦闘航空群 第IV飛行隊第11中隊 イオアン・ディ・チェザール 少尉機	第27戦闘航空団 第IV飛行隊第11中隊 ハインリッヒ・バルテルス 上級曹長機	第26戦闘航空団 第I飛行隊第1中隊長 ヨセフ・プリラー中尉機

Digital profile series Vol.1 / Messerschmitt Bf109

type F

Bf109F-4 Trop black double chevron W.Nr.?
December 1941 Libya Gruppenkommandeur I/JG27 Hauptmann Eduard Neumann

Bf109F-4 Trop 黒の2重シェブロン W.Nr.不明
1941年12月　リビア　第27戦闘航空団第Ⅰ飛行隊長　エードゥアルト・ノイマン大尉

写真からスピナーとカウリングは黄色に塗られていることが判る。飛行隊長マークの小シェブロンは三角形とするイラストもあるが、写真から小さな楔であることが判った。また方向舵はRLM79で塗られているようである。方向舵の8機の撃墜マークは以前の乗機のE型に描かれていたので、この機体では確認はできなかったが描き込んでいる

Bf109F-4 Trop yellow 1 W.Nr.8687
June 1942 Tmimi/Libya Staffelkapitän 6./JG27 Oberleutnant Rudolf Sinner

Bf109F-4 Trop 黄色1　W.Nr.8687
1942年6月　トミミ　リビア　第27戦闘航空団第Ⅱ飛行隊 第6中隊長　ルドルフ・ジナー中尉

W.Nr.8687はエルラ社で'41年に製造されたF-4 Tropである。塗装色であるRLM78/79は、白黒写真ではコントラストに乏しく、塗り分けラインの解釈が異なる資料もあるが、写真を見る限りでは胴体中央での塗り分けになっている。ほぼ真横からの写真で第Ⅱ飛行隊マーク、黄色の1、方向舵の撃墜マークが確認できる

Bf109F-4 Trop red 2 W.Nr.?
June 1942 Libya 2./JG27 Leutnant Körner

Bf109F-4 Trop 赤2　W.Nr.不明
1942年6月　リビア　第27戦闘航空団第Ⅰ飛行隊 第2中隊　ケルナー少尉

JG27第Ⅰ飛行隊第2中隊に所属している機体であるが製造番号は不明である。この時期、JG27所属機の多くが落下燃料タンク懸架ラックやFuG25aアンテナを装備していない中で、この機体はそれらを装備している。参考にした写真は同機がアフリカに到着後間もない時期に撮影された可能性もある。この機体の胴体国籍マークより後の部分は写真に写されていないので、推定により描いている

第51戦闘航空団
第Ⅱ飛行隊第6中隊長
ヨセフ・プリラー中尉機

コンドル軍団
第88戦闘飛行隊第3中隊
ウェルナー・メルダース大尉機

コンドル軍団
第88戦闘飛行隊第3中隊
ウェルナー・メルダース大尉機

第50戦闘航空団
(第50戦闘飛行隊)
アルフレート・グリスラフスキ
中尉機

Messerschmitt Bf109G "G

写真／野原 茂
Photo by Shigeru NOHARA

1941年春の段階では、当初、主力戦闘機としてのBf109の生産はF型にて打ち止めとなり、Fw190を主力に置き換えながら、1943年にBf109の後継となる新型戦闘機Me309の生産が始まる予定になっていた。

　Bf109の後継戦闘機に位置するMe309は、高速性能と重武装を両立した戦闘機として開発が進んでいた。主な特徴としては、Bf109で問題視されていた主脚間隔の狭さを解消すると同時に、前輪式降着装置を採用し、引き込み式ラジエータを備えている点があげられるだろう。こうした仕様からも分かるとおり、Bf109からの技術的連続性はあまりない。武装には諸説あるが、MK103 30mm機関砲1門、MG131 13mm機関銃4挺に加え、20mm機関砲4門を搭載可能な重装タイプも計画されていたことから、高々度での高速性能を得たFw190というコンセプトに近い戦闘機だったといえるだろう。しかし、1942年11月に実施された飛行テストの結果、Me309は酷い失敗作であることが明らかになり、試作機4機のみで開発計画は打ち切られた。

　Me309の失敗は、当然、戦闘機生産計画に重大な問題を引き起こす。実績豊かな名門メッサーシュミット社が改善の余地もないほどの失敗機を作ってしまうのは想定外であり、タイムスケジュールの穴を埋める代案もないため、当時、ラインが稼働中だったBf109G-6の生産が大幅に継続されることになった。総計3万機におよぶBf109シリーズのうち、G型が約2万2000機を占めて突出しているのは、新型戦闘機の開発が失敗したためでもあったのだ。

　G型が開発された経緯もイレギュラーである。1941年3月、西ヨーロッパ上空に姿を現したスピットファイアMk.Vは、ドイツ空軍関係者に大きなショックを与えた。Bf109Fでさえ互するのが精一杯の難敵に対処するために緊急開発されたのがBf109Gだからだ。

　開発に際しては、空力面でのリファインはF型でやり尽くしていたため、G型は高出力エンジンとして期待されるDB605の搭載を前提に進められることになった。

　Bf109Gは生産が始まった1942年前半から、Me309の失敗など、生産計画を左右する事件などを挟んで、ほぼ終戦までの長期にわたり生産が続いたため、様々なサブタイプが存在しているが、大きくは初期型、中期型、後期型と大きく3つに分けられる。

　G型はF型の機体デザインを踏襲しているが、新型エンジンの搭載に伴う設計変更と、与圧機構の採用によって、重量が増加している。そのため、離昇出力1450hpを発揮するDB605Aをもってしても、速度や上昇性能はF型を下回ったが、これはやむを得ないと判断された（ただしGM-1ブースターを併用すれば高度9300mでも1250hpを発揮可能で、スピットファイアMk.Vを圧倒できた）。アメリカの参戦を睨んだ場合、特に与圧機構は不可欠だと考えられた。B-17やB-24爆撃機、P-47サンダーボルトやP-38ライトニングのように排気タービンを搭載したアメリカ軍機の間には、高々度戦闘が頻発すると予測されたためである。G型の与圧キャビンは、風防の窓枠を太くして、風防のアクリルガラスを二重とし、開閉部や防火壁、床面、側壁にシーリングを施すといった程度の応急的な設計だったが、目的にはかなっていた。この他、コクピット後方の隔壁は、胴体構造と一体化している。

　先行量産型のBf109G-0は、1941年秋には完成していたが、まだDB605が間に合わなかったため、DB601Eで代用していた。

　1942年春に入り生産が本格化したG-1からG-4までが初期型に該当する。しかし写真偵察機仕様のG-4を除けば、各タイプに大きな差はなく、与圧キャビンを省略していたBf109G-2が、初期型の生産数では最多を占めている。一点、機体の重量増加に伴いタイヤサイズを大型化したG-3は、主脚収容部である主翼の上面にバルジを持たせている。従来機のタイヤをぎりぎり収容するスペースしかなく、翼形状の再設計までする時間がなかったための苦肉の策だったが、これは中期生産型以降も引き継がれる特徴となった。

　Bf109G初期生産型の兵装は、F型と同様だったが、1943年夏から生産が始まったG-5は、機首上部に搭載していたMG17 7.92mm機銃に替えて、MG131 13mm機銃2挺を搭載している。電気発射式機関銃のMG131は、ライバルといえるアメリカのブローニングM2 12.7mm機関銃に比べると、初速は秒速750mと劣るものの（M2は秒速850m）、発射速度ではM2の600発／分に対して950発／分と大きく上回る優秀な火器だった。しかし、もともと窮屈なカウリング内のスペースにMG17機銃を押し込んでいたため、銃尾部と給弾機構が大きなMG131機銃はそのままでは収納できない。これを解決するために、カウリングの一部に瘤状の膨らみを持たせている。この膨らみは、そのまま「瘤（ボイレ）」と、あまり格好良くない名称で呼ばれたが、Bf109G-5に盛り込まれた武装は、以後、後期型まで標準化された。

　G-5と同時期に生産が始まったのが、与圧キャビンを廃したG-6である。このうち、Bf109G-6／U4は、プロペラ同軸のMG151／20機関砲に替えて、ラインメタル製Mk108 30mm機関砲を搭載した、意欲的な改修型であった。これは、ますます脅威を増してきたアメリカのB-17に対する切り札とも言える兵装で、戦時生産であることを考慮して、コンポーネントはわずか9つ、しかも部材の大半は簡素な打ち抜き材を用いている。戦闘機兵装としては大口径のMk108から発射される薄殻榴弾の威力は凄まじく、B-17でさえ数発の命中弾で引きちぎることが可能だった。しかし、初速が遅いのが難点で、重装甲を頼みに敵重爆にぎりぎりまで接近して、必殺の機関砲を叩き込むような戦い方に特化していたFw190A-8／R8のような強襲戦闘機には有効でも、Bf109の主兵装とするには弊害が大きかった。G-6には大規模なU4改修計画が持ち上がったが、Mk108の生産が遅延したために、装備機

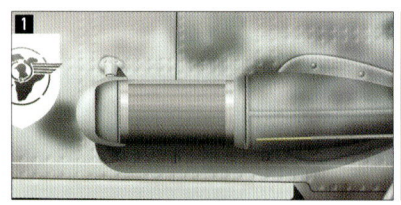

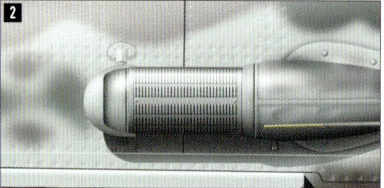

▲Bf109G型Tropタイプの過給器吸入口に取り付けるサンドフィルターは前期型と後期型に分けられ、①の46ページに掲載のG-2trop偵察型は前期型であり、②はフィンランド空軍のG-6に付けられた後期型である(P.60)。③は第27戦闘航空団第3中隊機の部隊マークが描かれた図。G型からカウリングにエアスクープが設けられたため、図中に示されるエアフィルター用の取り付け穴から分かるように、フィルターが付くと機首左側には部隊マークが(形状によっては)描けなくなるのがわかる

▲G型の後期になると胴体にある名盤は、いずれの工場で生産されたものも図の簡略型が導入されている(このページのエリアス・キューライン機は、まだ26ページに図示した⑦の名盤を付けている)

Bf109の特徴のひとつである主翼下面のラジエーターが、F型では内部に存在した境界層排除流路がG型から廃止されたため、後端部分がフラップとのすき間がなくなっているのに注目されたい

Bf109G-6 white 7 W.Nr.163269
June 1944 Radomir Bulgaria II /Jagdgeschwader 51 Oberfeldwebel Elias Kühlein

Bf109G-6 白7 W.Nr.163269
1944年6月　ラドミル　ブルガリア　第51戦闘航空団第Ⅱ飛行隊　エリアス・キューライン上級曹長

は少数に留まっている。
　また歩兵用兵器を流用したW.Gr21空対空ロケットを機体下部に懸吊することも可能だったが、Fw190でさえ操縦性能を大幅に低下させる外装兵器であり、Bf109には荷が重かったことは想像に難くない。
　Bf109G-6は、Me309開発失敗の煽りを受けて、生産期間が大幅に延長されたが、1944年4月から生産が本格化したG-10は、DB603D用の大型過給器を流用したDB605Dエンジンを搭載した、後期型に該当するサブタイプである。さらに、中低空域での性能向上をもたらすMV50水/エタノール混合噴射装置を組み合わせたDB605DCになると、離昇出力1850hpという強力な推進力を生み出せた。この他にも、カウリング形状を一新したことで、MG131収納用のボイレが無くなったほか、窓

枠が少ない一体型のエルラ・ハウベと呼ばれるキャノピーが採用された。しかし、G-10を中心にG-16まで続くBf109G後期型については、多数の航空機メーカーが生産に関わっていたことと、連合軍の爆撃によって、一部の航空機製造用部品の調達が不可能になったりしたため、各々の型について標準化されていたはずの装備が確認できない例も多い。G型の最終機種は、1945年から生産が始まったBf109G-16である。エンジンはDB605系の最終型となるDB605D-1を搭載し、高度7200mで時速685kmを発揮できた。
　Bf109Gがシリーズの中で突出した生産数を記録したのは、後継戦闘機開発の失敗と、予想以上に高性能化を遂げたスピットファイアMk.V登場という外的要因によるものであり、いったんは機動性回帰に動き

◀左より、1番目はG-6/G-14の後期型に見られる燃料オクタン価表示。手書きに近い印象の書体。2番目はさらにぞんざいなステンシルのみのもの。3番目・4番目・5番目はG-10/K-4のC-3燃料用表示でありステンシルで描かれているが、これも少なくとも3つのバリエーションが確認できる

◀Bf109の胴体部分下端には1～9までのバルクヘッドナンバーが付けられている(1はコクピットのすぐ下側)。これは整備時などに機体の部位がはっきり分かるように描かれた、いわば機体の番地のようなもの。E型～G型中期までは上の通常の書体で描かれているが、G-10～K型は2段目のステンシルで描かれたものに変わっている。なお、ステンシルのものには3段目の吹き付けで境目がボケているものがある。「モデラーズ・アイ3 メッサーシュミットBf109G-6」(大日本絵画刊)に収録のオーストラリア戦争記念館で展示されているBf109G-6(W.Nr.163824)には、この吹き付け型のバルクヘッドナンバーが確認できる。このナンバーは実戦配備されても基本的には消されないが「5」は上からバルケンクロイツを描かれ、「6」や「7」は戦域帯や識別帯により塗り潰されることが多い。しかし、22ページのエードゥアルド・ノイマン機は「5」を白色に反転させているように例外も散見される

始めたはずのF型から見れば、後退した印象はぬぐえない。

しかしF型の最終生産時期とオーバーラップするG型の投入時期に、ドイツ軍を取り巻く状況は大きく変化している。拡大しきった戦線の各所は航空機不足と、それを上回るパイロット不足に悩み、エースパイロットに支えられた個々の部隊も、連合軍の数に圧倒され始めていた。さらに悪いことに、1942年後半からはドイツ本国に対する敵の爆撃が本格化した。戦争を継続するためには、本土防空を最優先するしかなかったのである。

本来、Bf109は優秀なパイロット、つまり乗り手を得てこそ真価を発揮するサラブレッドとして生み出された戦闘機である。だが、ともすれば戦場の苛酷な環境では華奢に過ぎる同機への反省から、Fw190という軍馬が登場したのは、ドイツ空軍における両機の関係を示唆する上で有名な対比である。この観点からすれば、G型の重武装化は、F型の正常進化から逸脱するサラブレッドの軍馬化ということになる。たしかに、小柄な体躯に2000hpにも達しようかという大出力エンジンを内蔵して、重武装をまとったG型の姿からサラブレッドを連想するのは難しい。

文／宮永忠将
Text by Tadamasa MIYANAGA

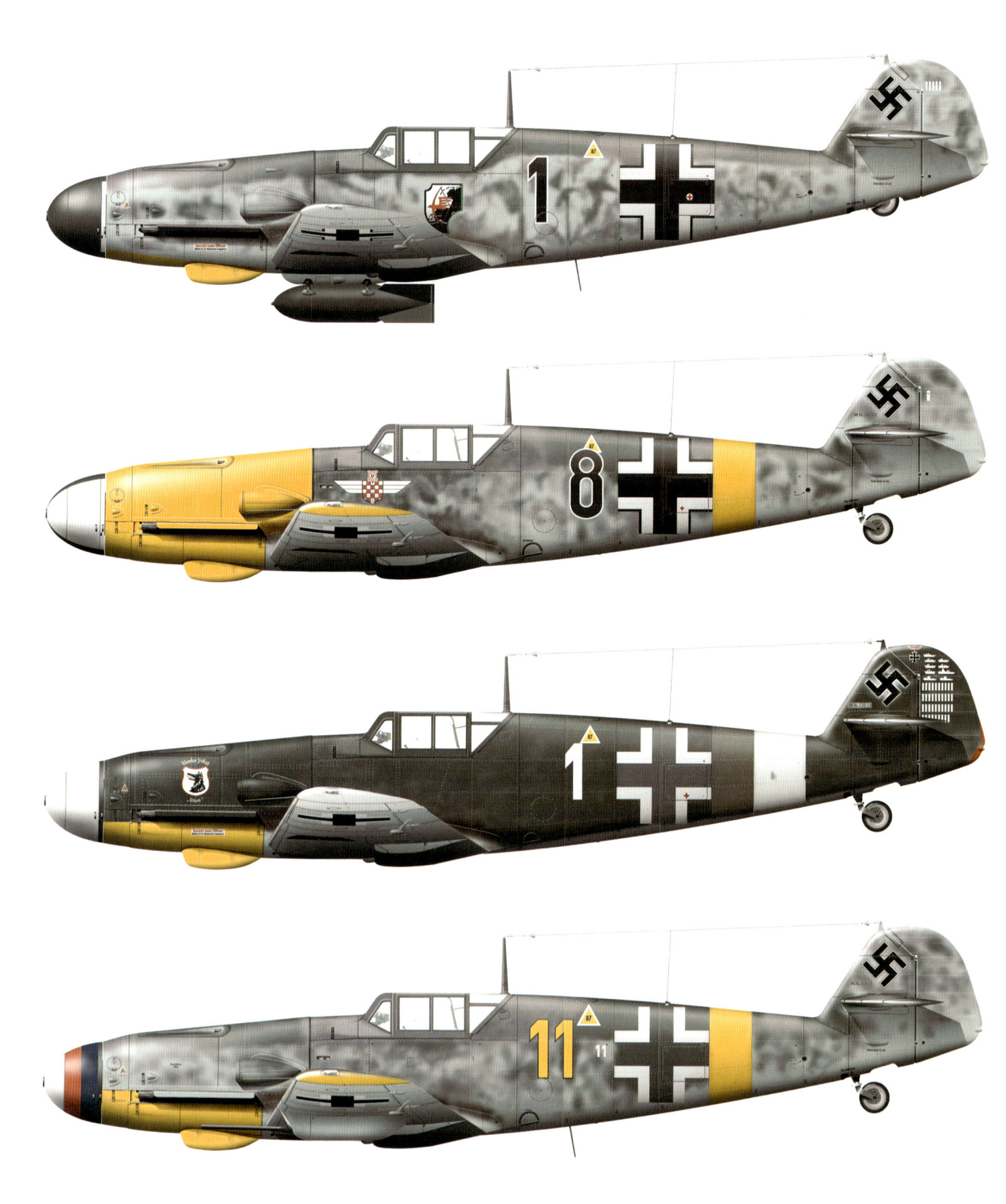

44 Digital profile series Vol.1 / Messerschmitt Bf109   type G

Bf109G-1 black 1 W.Nr.?
April 1943 Jever Germany 5 Staffel / Jagdgeschwader 11 Leutnant Heinz Knoke

Bf109G-1 黒1 W.Nr.不明
1943年4月　イーファー　ドイツ　第11戦闘航空団第5中隊　ハインツ・クノーケ少尉

気密キャビンを装備して高高度性能を向上したBf109G-1は、少数製作され主に本土防衛部隊に供給された。この機体もドイツ北西部を防衛していたJG11に供給された。5.JG11では、爆撃機編隊を攻撃する際に「空対空爆撃」として、時限信管付250kg爆弾を使用した。機体に描かれている飛行隊章は、この機体がJG11に編入される以前に所属していたJG1時代のものである。通常のRLM74/75/76で塗装された機体のカウリング下面には、特徴のある黄色塗装が施されている

Bf109G-2 black 8 W.Nr.13463
July 1942 Mariupol Russia 15.(Kroat) / JG52 Hauptmann Josip Helebrant

Bf109G-2 黒8 W.Nr.13463
1942年7月　マリウポリ　ロシア　第52戦闘航空団 第15中隊（クロアチア中隊）　ヨシブ・ヘレブラント大尉

第52戦闘航空団第15中隊はクロアチア航空兵団として組織されドイツ軍の一部として行動している。このため、使用する機材の国籍マークはドイツ空軍と同じものではあるが、操縦席前方胴体側面にクロアチア航空兵団のマークである羽根の付いた赤白チェッカーマークの盾が描かれている。参考にした写真にはプロペラスピナー部分が写っていないためスピナーの1/3と推定した

Bf109G-2 white 1 W.Nr.13633
October 1942 Tanyet-Harun Egypt Staffelkapitän of 7./ Jagdgeschwader 77 Hauptmann Wolfdieter Huy

Bf109G-2 白1 W.Nr.13633
1942年10月　サンイェット-ハラン　エジプト　第77戦闘航空団第7中隊長　ヴォルフディーター・フイ大尉

北アフリカには不向きなRLM70で全面塗装されたこの機体は、東部戦線から急遽移動した7./JG77中隊長フイ大尉の搭乗機。塗装のところどころに明暗があるのはRLM74/75で塗装された機体にRLM70をオーバースプレーした際に下地を完全に隠蔽できずに透けていると考えた。また、白帯（地中海戦線識別帯）の前には下にある黄帯（東部戦域識別帯）が透けていると思われる。大尉はギリシャでの戦功により騎士鉄十字章を受勲。方向舵にはその際の戦果が撃墜マークや騎士鉄十字章とともに描かれている

Bf109G-2 yellow 11 W.Nr.14545
May 1943 Gukovo Russia 15.(Kroat) / JG52 Oberleutnant Albin Starc

Bf109G-2 黄色11 W.Nr.14545
1943年5月　グコヴォ　ロシア　第52戦闘航空団 第15中隊（クロアチア中隊）　アウビン・スタルツィ中尉

Bf109G-2 W.Nr.14545に搭乗したスタルツィ中尉は、1943年5月14日、彼にとって229回目の出撃の際に本機に搭乗してソ連戦線内に亡命した。亡命飛行は、この機が部隊に到着後まもない時期であったため、上の「黒の8」機のようなクロアチア航空兵団のマークが描かれてはいない、しかしスピナーはクロアチアの象徴である白・赤・青に塗り分けられている。機体に描かれている黄色11の他、バルケンクロイツ前に小さな11が描かれている

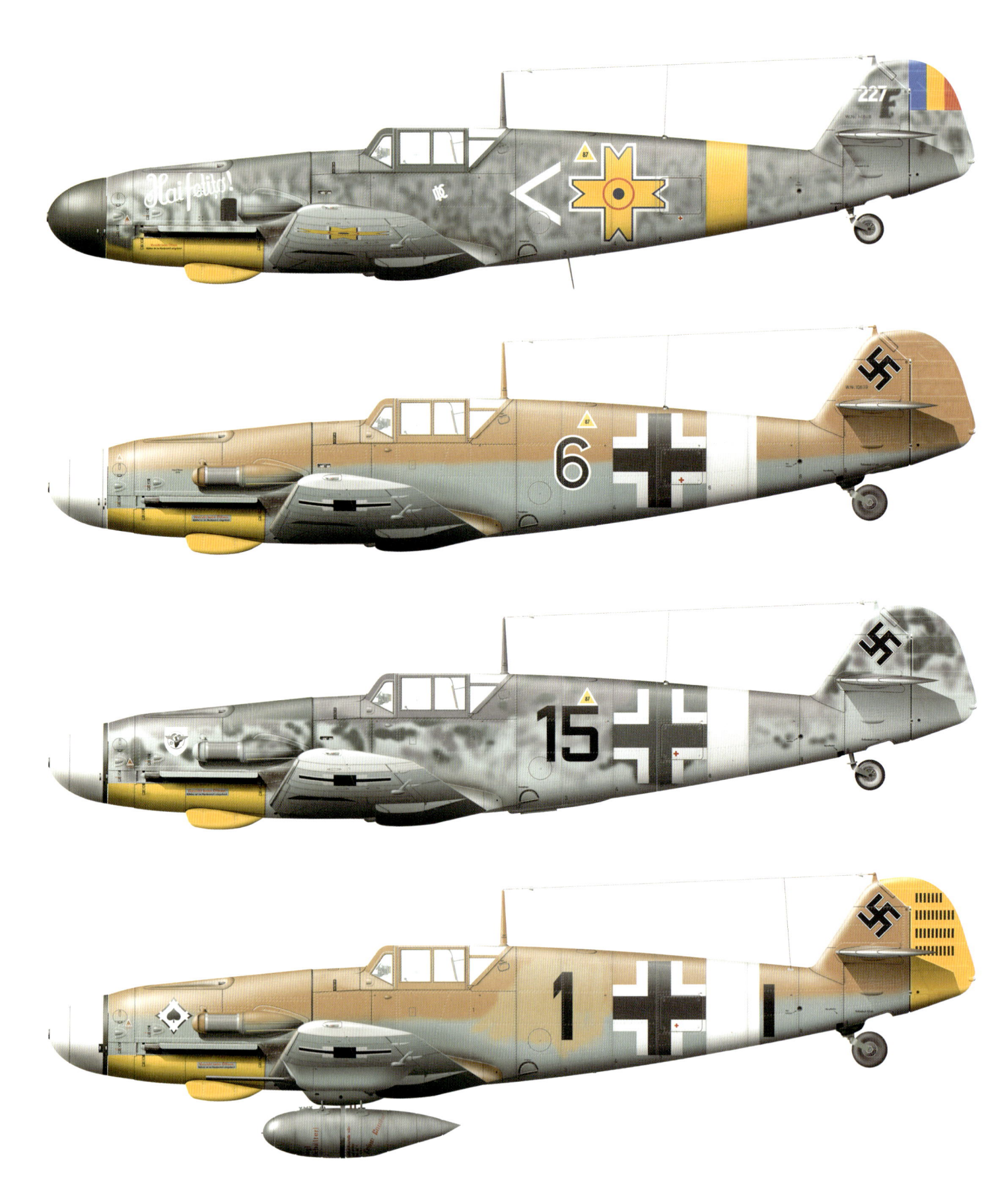

46 Digital profile series Vol.1 / Messerschmitt Bf109 type G

Bf109G-2 white single chevron W.Nr.14646
Summer 1944 Rumania Grupul 7 vânãtoare Leutnant Ioan Di Cesare

Bf109G-2 白色のシェブロン W.Nr.14646
1944年夏　ルーマニア　ルーマニア空軍第7戦闘航空群　イオアン・ディ・チェザール少尉

ルーマニア空軍に所属するBf109G-2 W.Nr.14646はRLM74/75/76の標準迷彩塗装が実施されているが、RLM74塗装パターンは鯖の皮膚を連想させるものである。エンジンカウリング左側面にはスローガン「Hai Fetito!」（さあ行け、嬢ちゃん！）が描かれている。また、操縦席側面には、操縦者のイニシャルである「IDC」が描かれているほか、過給器空気取入口前にはタッチアップ塗装が施されている

Bf109G-2/Trop black 6 W.Nr.10639
November 1942 Libya 8./JG77 Leutnant Heinz Lüdemann

Bf109G-2/Trop 黒6　W.Nr.10639
1942年11月　リビア　第77戦闘航空団第Ⅲ飛行隊8中隊　ハインツ・ルーデマン少尉

この機体は英軍に捕獲後、戦後劣悪な状態から19年もの歳月をかけて見事に復元された通称「ブラックシックス」と呼ばれる有名な機体であり、図はドイツ空軍で就役中の姿を再現した。RLM70に見えた部分はスピナー自身の影であり、初めてこの図を発表した際、スピナーのバックプレートをRLM70と考えたが、その後の調査で就役中からスピナー全体が白一色であったことが判明し修正した。また、機体自体も少数生産のF-3型として製作が開始されたが途中でG-2型規格に部分的に改造された非標準的な機体であり、今回、標準型との細部の違いも再現している

Bf109G-2 Trop black 15 W.Nr.?
April 1943 Al Marsa Tunisia 2(H). Aufklärungsgruppe 14 Pilot:Unknown

Bf109G-2 Trop 黒15　W.Nr.不明
1943年4月　アル･マルサ　チュニジア　第14偵察飛行隊第2中隊

この機体は第14偵察飛行隊第2中隊に所属する機体であり、戦場がリビアの砂漠地帯からチュニジアの平原地帯に移動しているため、RLM74/75/76による塗装が施されている。同じ部隊の「黒の6」も同様の塗装となっているが、両機ともに機体上部の縞状の塗り分けは標準とは少し異なっている。なお、同じ部隊の「黒の14」は砂漠仕様のRLM78/79塗装であり、リビアから撤退の後、全面的に塗り替えた可能性もある。カウリングには部隊マークがステンシルを利用して描かれている

Bf109G-4/R6 Trop black 1 W.Nr.?
February 1943 Tunisia Staffelkapitän 8./JG53 Oberleutnant Franz Schiess

Bf109G-4/R6 Trop 黒1　W.Nr.不明
1943年2月　チュニジア　第53戦闘航空団第Ⅲ飛行隊8中隊長　フランツ・シース中尉

シース中尉は、以前JG53航空団本部付副官であった時期の乗機であるG4/Tropの本部マークを色調の異なるRLM79で乱雑に塗り消して、中隊長番号である「1」を記入して使用している。方向舵にはそれまでに撃墜した37機分の撃墜マークが記入されている。バックプレートを除いたスピナー、主翼翼端、胴体の戦域帯が白く塗装されており、方向舵の色は明らかにRLM79とは異なる明るさなのでRLM04で塗装されていると考えられる。なお、この機体はG-4型ではあるが写真を精査したところ、尾部点検用の小判型パネルは設けられていないことが判明した

48 Digital profile series Vol.1 / Messerschmitt Bf109

type G

Bf109G-4/R6 white 2 W.Nr.14997
May 1943 Taman Russia 7./JG52 Leutnant Erich Hartmann

Bf109G-4/R6 白2 W.Nr.14997
1943年5月　タマン　ロシア　第52戦闘航空団第Ⅲ飛行隊7中隊　エーリッヒ・ハルトマン少尉

ハルトマンが'42年10月にJG52に配属され15機を撃墜した頃に使用していた機体で、ラジオコールKJ+GUを消さずにその上から白色で「2」と第Ⅲ飛行隊の波型マークが描かれている。機首側面には、JG52 第Ⅰ飛行隊のマーク「スピットファイヤーを絡め取る黒い手」が描かれている。また垂直尾翼頂部のRLM74/75塗装およびスワスチカの一部は方向舵固定金具により、強く圧迫されたためか剥がれてしまい、下地のRLM76が顔を見せている

Bf109G-4 Trop yellow 7 W.Nr.?
February 1943 Bizerta Tunisia Staffelkapitän of 3./Jagdgeschwader 53 Oberleutnant Wolfgang Tonne

Bf109G-4 Trop 黄7　W.Nr.不明
1943年2月　ビゼルタ　チュニジア　第53戦闘航空団第Ⅰ飛行隊第3中隊長　ヴォルフガング・トネ中尉

ヴォルフガング・トネ中尉が東部戦線から北アフリカのチュニジアに移動した時期に使用していたBf109G型の内の1機であり、同じ飛行場で撮影されたと思われるG-2の写真もある。方向舵に描かれている撃墜マークの樫葉は4枚の内1枚のみが色が異なる。RLM78/79塗装で胴体中央が塗り分けられ、機体の上部にはRLM80で縞状の塗装がなされている。おそらくは、機番「5」が描かれていたと考えられるが、これを塗りつぶして、新たに機番の「黄の7」が描かれている

Bf109G-4/R6 white 365-1 W.Nr.19566
July 1943 Scicca Italia 365 Squadriglia,150 Gruppo Autonomo Caccia Terrestre

Bf109G-4/R6 白365-1　W.Nr.19566
1943年7月　シャッカ　シシリー島　イタリア　独立戦闘第150航空群第365飛行隊

シシリー島への連合軍の侵攻が近づくなか、イタリア空軍強化のために供給されたBf109G-4。独立戦闘第150航空群の飛行隊章である"GIGI TRE OSEI"の文字と3羽の鳥のマークは、デカールが貼り付けられたと考えられる。塗装の仕上はていねいだが、尾翼の白色十字の交点にあるべきサボイ王家の紋章と操縦席横のファシストマークは見られない。RLM74/75/76による塗装と考えられるが、RLM74に相当する部分はかなり明るく、イタリア空軍の塗料が使用されている可能性もある

Bf109G-5 yellow 11 W.Nr.?
February 1944 Ludwigslust Germany Stafful 9./Jagdgeschwader 54 Unteroffizier Gerhard Kroll

Bf109G-5 黄11　W.Nr.不明
1944年2月　ルートヴィヒスルスト　ドイツ　第54戦闘航空団第9中隊　ゲアハルト・クロール伍長

G-6に気密キャビンを付けたG-5は少数が生産され主に本土防衛部隊に供給された。この機体では通常のRLM74/75/76塗装の上に高高度で迷彩効果が高いとされるRLM76をオーバースプレーしている。スピナーはバックプレートを除き中隊色の黄色で塗装、方向舵は写真では確認できなかったが、同中隊に所属する多くの機体の方向舵が黄色で塗装されているので、本機も同様と考えた。JG54は航空団マーク、飛行隊マーク、中隊マークをそれぞれ描いているため、非常にカラフルな塗装となっている

50 Digital profile series Vol.1 / Messerschmitt Bf109   type G

Bf109G-5 black double chevron W.Nr.15729
Winter of 1943 to 1944 Rotenburg Germany Geshwarderkommondore JG11 Obersleutnant Hermann Graf

Bf109G-5 黒二重楔　W.Nr.15729
1943年から1944年冬期　ローテンブルク　ドイツ　第11戦闘航空団司令　ヘルマン・グラフ中佐

1943年に編成されたJG11は比較的早い時期から胴体に黄色の本土防衛標識帯が描かれていたようだ。 また、この時期の機体の特徴として、高高度での迷彩効果が高いとされるRLM76で、国籍標識も含めてオーバースプレーされている。このグラフの搭乗機も従来のRLM74/75/76の塗装の上から76のオーバースプレーをされたと考えられる。 このため、幹部記号が灰色に見える他、尾翼の拡大写真からも、製造番号の上に76が吹き付けられ一部がぼんやり見える状態になっていることが確認できる

Bf109G-6/W green 1 W.Nr.15919
Summer 1943 Wiesbaden-Erbenheim Germany Geshwarderkommondore JG50 Major Hermann Graf

Bf109G-6/W 緑1　W.Nr.15919
1943年夏　ウィースバーデン　ドイツ　第50戦闘航空団(第50戦闘飛行隊) 司令　ヘルマン・グラフ少佐

この機体はG-5用の機材を使用して、通常のG-6として完成していると考えられる。JG50は実験的性格の部隊でもあるので、この機体には特別な装備がされている。 照準器はRev.16が装備されているが、固定装備であるため顔面保護バンパーが取り付けられている。 キャノピー天蓋には流線型覆付のバックミラーがあるほか、拡大写真を見ると主脚収納部には後のK型と同じように外側にもカバーがつけられているように見える

Bf109G-6/R6 green 1 W.Nr.15919
Summer 1943 Wiesbaden-Erbenheim Germany Geshwarderkommondore JG50 Major Hermann Graf

Bf109G-6/R6 緑1 W.Nr.15919
1943年夏　ウィースバーデン　ドイツ　第50戦闘航空団(第50戦闘飛行隊) 司令　ヘルマン・グラフ少佐

グラフの機体は、後にスピナーを赤く塗装し連続するカウリングの前部分にチューリップ塗装が追加された。 特別塗装の際にはカウリング側面の冷却液注意書きはていねいにマスキングされているほか、機体の各部分のステンシル類もマスキングで保護されている。 JG50の機体は少しでも、空気抵抗を減らそうと表面がきれいに磨き上げられているので、斑点状の迷彩がぼやけてこのようなかたちになったと考えられる

Bf109G-6 yellow 1 W.Nr.20499
October 1943 Nowosaporowji Russia Staffelkapitän 9./JG52 Leutnant Erich Hartmann

Bf109G-6 黄1　W.Nr.20499
1943年10月　ノヴォサポロジイ　ロシア　第52戦闘航空団第Ⅲ飛行隊第9中隊長　エーリッヒ・ハルトマン少尉

ハルトマンが121機撃墜を記録した'43年10月頃使用していた機体である。このハルトマン機では、枠だけの十字は規定よりも間隔が広くなっているようで上部の白枠はかなり高い位置に描かれている。この機体のカウリング下部のRLM04塗装は前半分であり、胴体後部の戦域帯も下半分しか描かれていない。機体上部のループアンテナは台座のみ残してアンテナ自身は取り除かれている

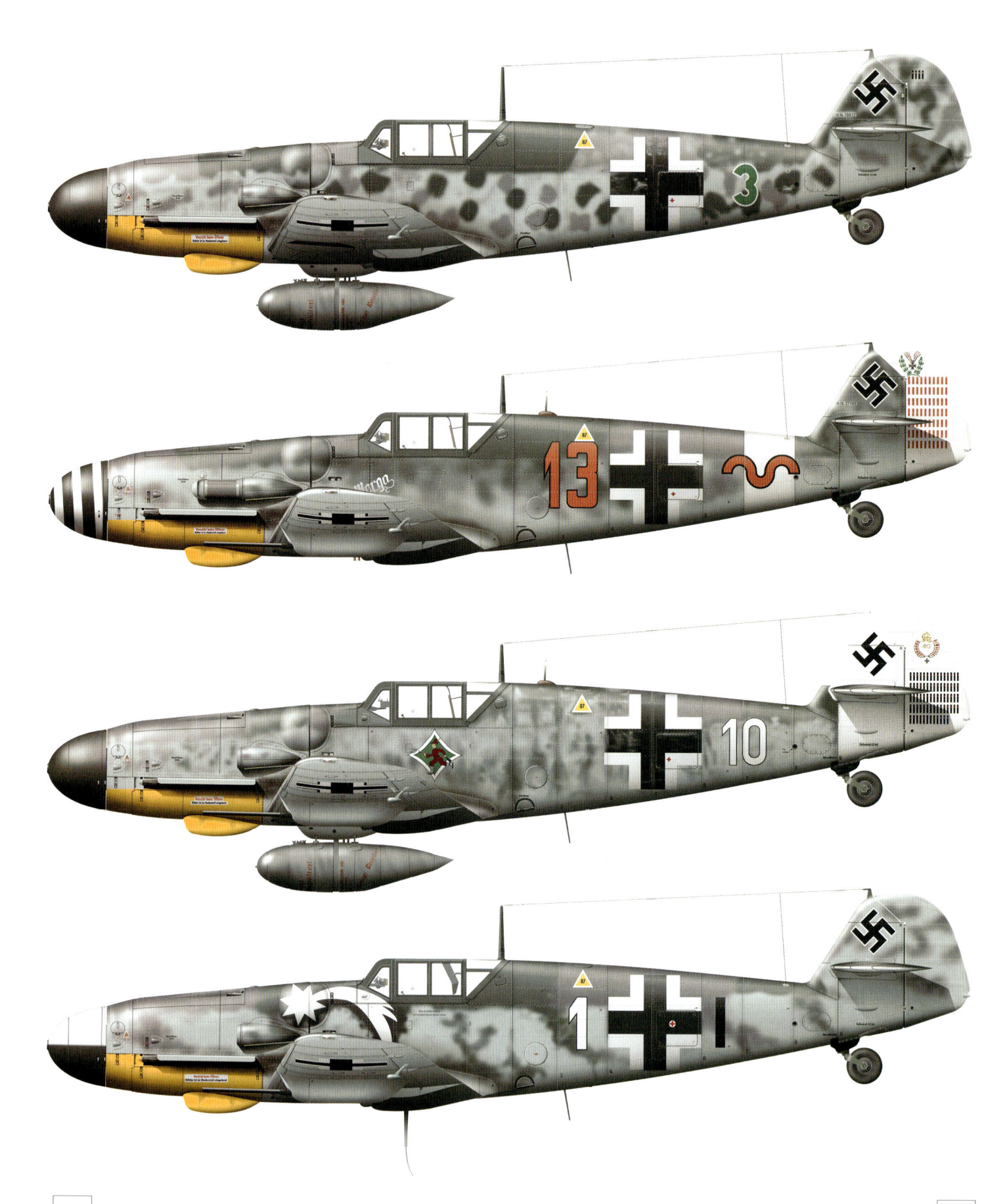

52 Digital profile series Vol.1 / Messerschmitt Bf109 type G

Bf109G-6 green 3 W.Nr.15912
Summer 1943 Wiesbaden-Erbenheim Germany Stab /JG50 Leutnant Gottfried Weiroster

Bf109G-6 緑3 W.Nr.15912
1943年夏　ヴィースバーデン・エルベンハイム　ドイツ　第50戦闘航空団(第50戦闘飛行隊)　ゴットフリート・ヴェイロスター少尉

JG50の本部小隊に所属する緑の3番の機体は、前述のグラフ少佐の機とほぼ同じ時期に製作された機体で、G-5の機材を使用して製作されたG-6と考えられる。　RLM74/75で機体側面に斑点状の迷彩が施されており、グラフ機と同様に注意書き等のステンシルはていねいにマスキングされている。胴体の後部や国籍記号の一部には剥離があるが、胴体の迷彩はまだ塗りたてのようで綺麗な状態にある。　同時期のJG50の機体には同じような迷彩が施されたG-5が配備されていたのも、写真より確認できる

Bf109G-6/R6 Trop red 13 W.Nr.27169
November 1943 Kalamaki, Greece 11./JG27 Oberfeldwebel Heinrich Bartels

Bf109G-6/R6Trop 赤13 W.Nr.27169
1943年11月　カラマキ　ギリシャ　第27戦闘航空団第Ⅳ飛行隊11中隊　ハインリッヒ・バルテルス上級曹長

G-6/Tropと考えられる、この機体の過給器空気取入口には防塵フィルターが装着されているが、操縦席横の日傘ホルダーは装着されていない。塗装はRLM74/75/76の一般的なものであり、戦域帯、主翼翼端、方向舵は白く塗装され、プロペラスピナーは細いスパイラルが描かれている。操縦席側面胴体には彼の個人マーク「Marga」が描かれており、また方向舵には赤で70機撃墜のマークと騎士十字章が描かれている

Bf109G-6/R6 white 10 W.Nr.?
September 1943 Wiesbaden-Erbenheim Germany JG50(JGr50) Oberleutenant Alfred Grislawski

Bf109G-6/R6 白10 W.Nr.不明
1943年9月　ヴィースバーデン・エルベンハイム　ドイツ　第50戦闘航空団(第50戦闘飛行隊)　アルフレート・グリスラフスキ中尉

補助翼には可動式バランスタブが装備されているほか、方向探知用FuG16ZY/DFループアンテナが装備され、無線用空中線マストも背の低いタイプのものとなっている。コクピット側面の赤い狩人のマークは他機と少し異なっているようだ。　この機体も常に排気ガスの汚れを落とし研磨したためか、胴体側面後部のRLM74/75はかなり剥落しておりRLM76が現れている。この部分の塗装は、RLM76地の上にRLM74/75がスプレーされているだけなので研磨剤により容易に剥離したと思われる

Bf109G-6 white 1 W.Nr.?
October 1943 Bad Wörishofen Germany Staffelkapitän of 7./Jagdgeschwader 3 Hauptmann Karl-Heinz Langer

Bf109G-6 白1 W.Nr.不明
1943年10月　バート・ヴェリスホーフェン　ドイツ　第3戦闘航空団第Ⅲ飛行隊第7中隊長　カール・ハインツ・ランガー大尉

メッサーシュミット社レーゲンスブルグ工場製の特徴を示す塗装をされたこの機体は、G-6型初期の背の高い無線空中線マストと当時は導入されたばかりのFuG16ZYEシステムのモラーヌアンテナや、ガーランドパンツァー(パイロット用頭部防弾板・上部は視界確保のため防弾ガラスがはめられていた)を取り付けている。機体全体を写した写真からは尾翼、方向舵には防空部隊を示す白色塗装がされていないことが判った。当時すでに10機以上を撃墜しているランガー大尉であるが、方向舵の撃墜マークは確認できなかった

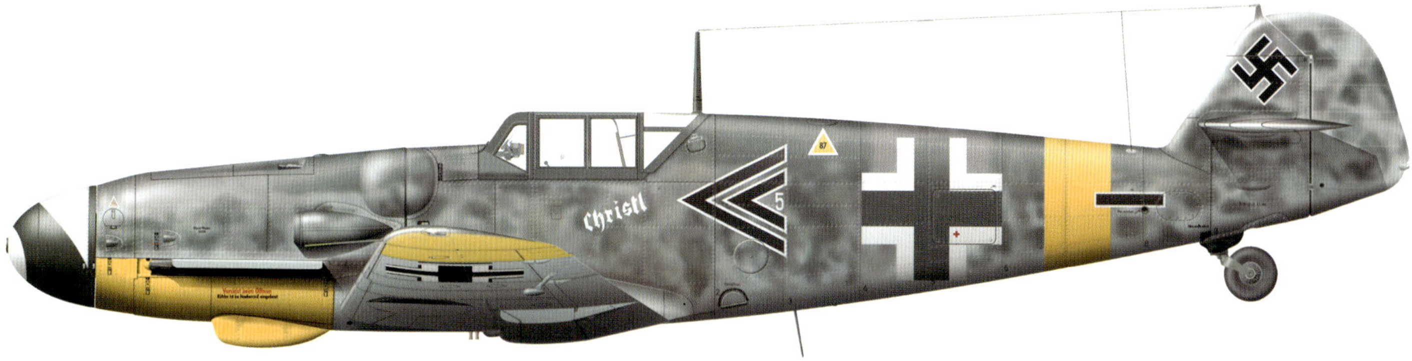
Christl
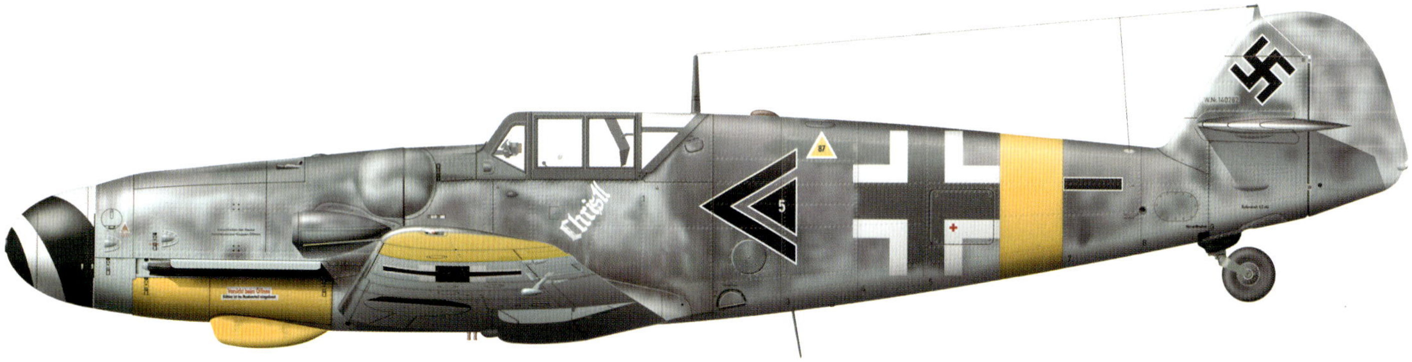
Christl
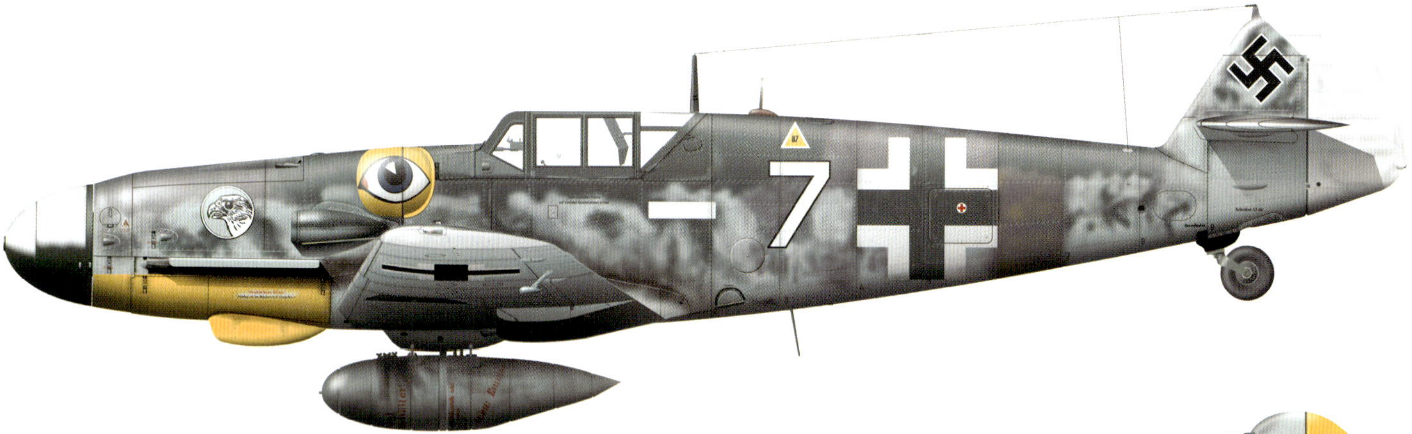
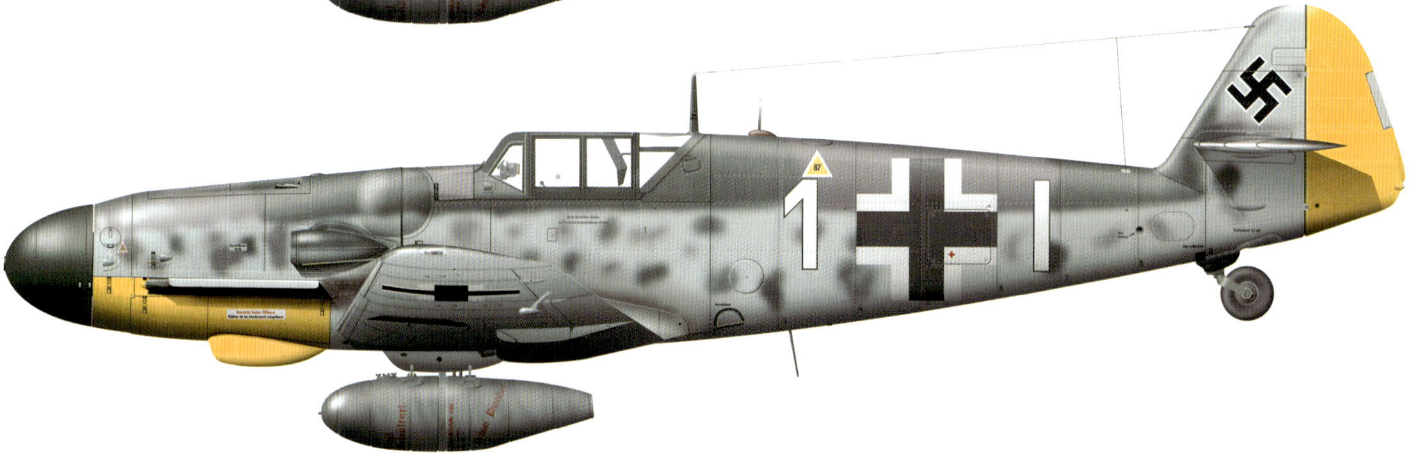

Bf109G-6 black double chevron with white 5 W.Nr.?
September 1943 Kharikov Russia Gruppenkommandeur II /JG52 Hauptmann Gerhard Barkhorn

Bf109G-6 黒の二重楔に白5　W.Nr.不明
1943年9月　ハリコフ　ロシア　第52戦闘航空団第Ⅱ飛行隊長　ゲーアハルト・バルクホルン大尉

バルクホルン大尉がJG52第Ⅱ飛行隊長になった1943年夏にハリコフを基地に戦っていた当時、使用していた機体である。標準的なRLM74/75/76塗装の他、部隊でも追加の塗装が施されているようで、かなり暗い感じの塗装になっている。コクピットの側面には彼の妻の名前であるChristlが、また、彼にとってのラッキーナンバーである「5」が二重楔の後部に描かれている。 また、主翼下面に描かれていたラジオコードの一部は消されずに残っている

Bf109G-6 black chevron+black triangle with white 5 W.Nr.140282
February 1944 Russia Gruppenkommandeur II/JG52 Hauptmann Gerhard Barkhorn

Bf109G-6 黒楔＋三角白5　W.Nr.140282
1944年2月　ロシア　第52戦闘航空団第Ⅱ飛行隊長　ゲーアハルト・バルクホルン大尉

バルクホルン大尉が1944年2月にJG52第Ⅱ飛行隊長として250機撃墜を達成した頃に使用していた機体で、飛行隊長であることを示す二重楔のなかの後方楔を三角にして、その中に番号5が白で描かれている。この機体の補助翼には可動式バランスタブが取り付けられていることが写真から確認できた。 翼端部分は画面の外にあるので、翼端下面にある黄色の東部戦線標識は確認できていないが、時期的には描かれていたと考えられる。また第Ⅱ飛行隊を示す水平のバーは胴体のかなり高い位置に描かれている

Bf109G-6 white 7 W.Nr.163269
June 1944 Radomir Bulgaria II /Jagdgeschwader 51 Oberfeldwebel Elias Kühlein

Bf109G-6 白7　W.Nr.163269
1944年6月　ラドミル　ブルガリア　第51戦闘航空団第Ⅱ飛行隊　エリアス・キューライン上級曹長

ブルガリアで防空任務に就いていたⅡ/JG51のG-6型である。部隊の任務が変更されたため、胴体にある黄色の東部戦線識別帯はRLM75をオーバースプレーすることによって消されている。カウリングのボイレには超能力を示すかのように目が描かれている。カウリング左側にはJG51のマークが、右側には「連合軍各国(仏、英、ソ連、米)のインシグニアを貫く剣」の第Ⅱ飛行隊のマークが描かれている

Bf109G-6 white 1 W.Nr.?
1944 Germany 9./JG26

Bf109G-6 白1　W.Nr.不明
1944年　ドイツ第26戦闘航空団第Ⅲ飛行隊第9中隊

金属製と思われる大型尾翼が取り付けられたこのG-6は西部方面で防空任務に従事しているJG26 第9中隊所属機である。機番1から中隊長機とも思えるが、この時期は幹部の損失を防ぐため、必ずしも「1」が中隊長機とは限らないようである。西部戦線で防空任務についている機体は、上面はRLM74/75に塗り分けられ、側面はRLM76 地にRLM74/75 の斑点状の迷彩が吹き付けられており、東部戦線の機体の塗装とは趣を異にしている

56 Digital profile series Vol.1 / Messerschmitt Bf109   type G

Bf109G-6 yellow 1 W.Nr.440141
February 1944 Ludwigslust Germany Staffelkapitän of 9./Jagdgeschwader 54 Oberleutnant Wilhelm Schilling

Bf109G-6 黄1 W.Nr.440141
1944年2月　ルートヴィヒスルスト　ドイツ　第54戦闘航空団第9中隊長　ヴィルヘルム・シリング中尉

"グリュンヘルツ(緑のハート)"を部隊章とする第54戦闘航空団は、東部戦線においてもっとも多くの戦果をあげた部隊のひとつとして有名である。しかしながら、その第Ⅲ飛行隊はドイツ本土防衛のため東部戦線より抽出されており、同飛行隊には本土防衛標識帯として青が与えられた。この機体も同部隊の他の機体と同様、航空団エンブレム・飛行隊エンブレム・中隊エンブレムのすべてが描かれている。機体側面のモットリングの内、濃い色の部分はRLM74よりもさらに暗い色なので、RLM70が使用されていると考えられている

Bf109G-6/R6 black double chevron W.Nr.?
1944 Austria or Southern Germany Gruppenkommandeur I/JG27 Major Ludwig Franzisket

Bf109G-6/R6 黒2重シェブロン W.Nr.不明
1944年　オーストリアまたは南部ドイツ　第27戦闘航空団　第Ⅰ飛行隊長　ルドウィグ・フランチィスケット少佐

大戦末期、ドイツ空軍は各戦闘航空団に対して識別、士気高揚を目的として防衛識別帯を定め、各戦闘航空団にそれぞれの色が割り当てられ、JG27にはRLM25(緑)が割りあてられた。この機体の場合、防衛識別帯以外に防空部隊であることを示すため方向舵も白く塗られている。機首にはI/JG27のアフリカエンブレムが描かれている。このイラストでは胴体のバルケンクロイツの内部はRLM75で塗られているとしているが、RLM74の可能性もある

Bf109G-6 black 8 W.Nr.?
1944 Germany III. Gruppe /Jagdgeschwader 300 Leutnant Rudolf Winter

Bf109G-6 黒8 W.Nr.不明
1944年　ドイツ国内　第300戦闘航空団第Ⅲ飛行隊　ルドルフ・ヴィンター少尉

この機体は元来通常のRLM74/75/76で塗装されていたが、不時着後の修理時に塗装をすべて剥がして性能の向上を図ったようである。機番を赤とする資料もあるが、色調は本土防衛標識帯の赤とは明らかに違い、より暗い色であることから黒とした。無塗装でも、風防・キャノピー・機銃弾道溝・翼端部・各動翼などは材質により防錆・保護のために塗装されている。方向舵は白色で撃墜マークが描かれているが、白を目立たなくするためか、蛇行迷彩が描かれている。本機は別の搭乗員が使用したとする説もある

Bf109G-6 yellow 1 W.Nr.166221
August 1944 Romania Staffelkapitän 9./JG52 Oberleutnant Erich Hartmann

Bf109G-6 黄1 W.Nr.166221
1944年8月　ルーマニア第52戦闘航空団第Ⅲ飛行隊第9中隊長　エーリッヒ・ハルトマン中尉

ハルトマンが300機撃墜を達成した1944年夏に使用していた機体である。第9中隊のマークが描かれているが、ハート内の文字は彼の婚約者の愛称Urselとなっている。この時期には、FuG16YZ無線通信機を装備する機体が量産されていたが、この機体では取付部は塞がれ、アンテナも取り付けられていない。製造番号の近い機体には方向舵下部に製造番号がステンシルされているので、この機体も同様であると考えて描いた

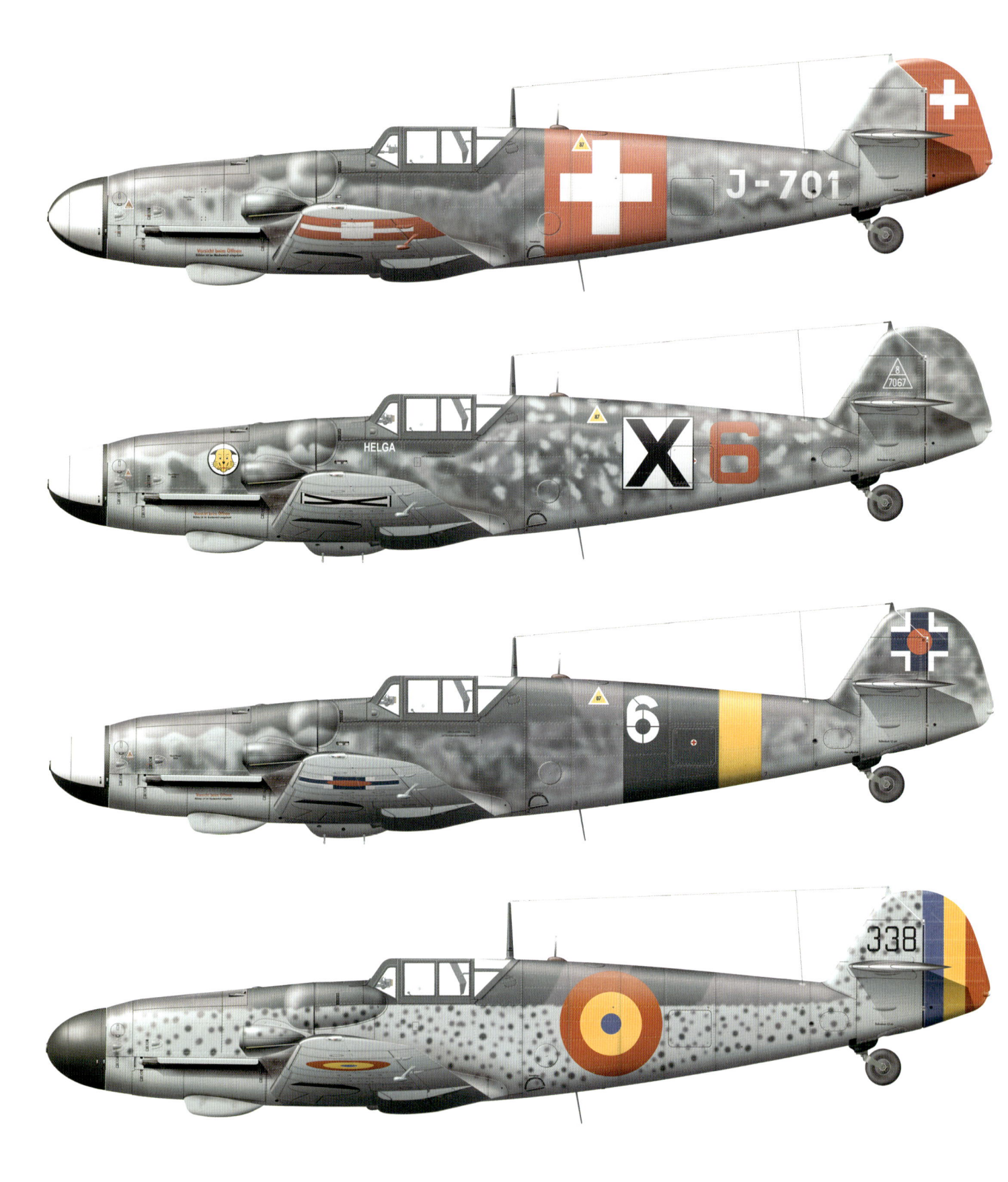

58 Digital profile series Vol.1 / Messerschmitt Bf109   type G

Bf109G-6 J-701 W.Nr.163112
June 1944 Interlaken

Bf109G-6　J-701　W.Nr.163112
1944年6月　インターラーケン

'44年4月28日、最新のSN-2レーダーを装備したBf110G-4夜戦がスイス領内に着陸を余儀なくされた際、レーダーの秘密を守るため、このBf110G-4夜戦の破壊と引き換えにスイスにBf109G-6が供与されることとなった。本機はその内の1機で、引渡し時の同機を撮影した鮮明な写真がありそれをもとにこのイラストを作成した。同機の塗装はのちに改められている。FuG25IFFなど一部の装備は引渡し時に取り除かれている。この時期の主翼上面のスイス国籍標識は赤丸に白十字である

Bf109G-6 red 6 W.Nr.?
December 1943 Wrasdebna Bulgaria 652 Yato of 2.6 Orlyak podporucik Stefan Marinopolski

Bf109G-6　赤6　W.Nr.不明
1943年12月　ヴラジデブナ　ブルガリア　2.6大隊第652中隊　ステファン・マリノポルスキ少尉

ブルガリアは1940年からBf109をドイツより供与され、大戦中盤から来襲するようになった米軍機の迎撃に使用した。機体はRLM74/75/76で塗装されたブルガリア空軍所属のG-6型で、白字にXマークの国籍標識を描いている。胴体側面には、RLM76と思われる明るい色の斑点が描かれ、機首側面には犬と思われる動物の顔をモチーフにした部隊マークが描かれている。コクピット側面の「HELGA」の個人マークはパイロットのガールフレンドの名前だが、遠くから撃墜マークに見えることも意図している

Bf109G-6 white 6 W.Nr.161717
June 1944 Piestany Slovakia Letke 13 zastavnik Pavel Zelenak

Bf109G-6　白6　W.Nr.161717
1944年6月　ピエシュチャニ　スロヴァキア　第13飛行隊　パヴェル・ゼレナーク曹長

スロヴァキア空軍の国籍標識は当初、ドイツ軍機と同じように描かれたが、G型導入の時期から側面の標識は垂直尾翼に描かれるようになった。このためか、すでにドイツ空軍のマーキングがなされていた4隔壁から6隔壁までの側面はRLM74と思われる色で塗りつぶし、その上に白のステンシルタイプ文字で「6」が描かれている。この機体の側面にはメッサーシュミット社レーゲンスブルグ工場製機体の特徴である縞状の迷彩が施されている。本機は1944年6月26日に不時着により大破し、破棄された

Bf109G-6 Industria Aeronautica Romana made W.Nr.?
1945 Czechoslovakia Grupul 1 Vânãtoare Lt. av Constantin Fotescu

Bf109G-6　ルーマニアIAR社製　W.Nr.不明
1945年　チェコスロバキア　第1戦闘航空群　コンスタンティン・フォレスク予備中尉

ルーマニアのIAR社は独自の機体を開発していたが、戦時下ではBf109の製造も行なっていた。ルーマニアがドイツとの同盟を破棄してソ連側についてからもBf109Gは使用されている。IAR製Bf109Gは機首の13mm機関銃のためのバルジが、イラストのような形に成型されている。上面はRLM74/75で縞状に塗り分けられており、側面にはRLM74/75の細かい斑点が吹き付けられている。国籍標識は枢軸側にあった時はミハエル十字であったが、ソ連側にあるこの時期には赤黄青のラウンデルに変更されている

60   Digital profile series Vol.1 / Messerschmitt Bf109   type G

Bf109G-6 yellow 7 W.Nr.?
End of 1944 Osoppo Italia 2a Squadriglia II Gruppo ANR Pilot:Unkown

Bf109G-6 黄7 W.Nr.不明
1944年末 オゾッポ イタリア イタリア社会共和国空軍 第Ⅱ航空群2a飛行隊

ムッソリーニ政権が崩壊した後、イタリアは南北に分かれ、ドイツ軍に占領されている北部イタリアにはムッソリーニを首班とする傀儡政権「イタリア社会共和国」が樹立され、ドイツ軍とともに連合軍と交戦していた。イタリア社会共和国空軍は1944年後半よりBf109で再編された。機体の中にはドイツ空軍の標識が残るものもあるが、イラストのG-6はドイツ空軍のRLM74/75/76迷彩の上に、完全なイタリア社会共和国空軍（ANR）の標識が描かれている

Bf109G-6 V.8+28 W.Nr.?
1944 Hungary 101/3FS Pilot Unknown

Bf109G-6 V.8+28 W.Nr.不明
1944年 ハンガリー 101/3戦闘飛行隊

ハンガリー製とされるこの機体は、1944年4月に撮影された写真では垂直尾翼の3色標識や胴体側面のハンガリー国籍標識の上からRLM75と思われる塗料を吹き付けて視認性を低下させている。しかし、この機体が完成した当時は、このような塗装はなかったものと考えてイラストを作製している。ドイツ空軍の標準的なRLM74/75/76の組み合わせで塗装されているほか、無線関係の装備もドイツ空軍と同じものが使用されている。なお、この機体以外にも3色標識を明瞭に描いたG型の写真は複数存在している

Bf109G-6 yellow zero black MT-507 W.Nr.167271
The machine on display at the Aviation Museum of Central Finland.

Bf109G-6 黄0 黒MT-507 W.Nr.167271
中部フィンランド航空博物館にて展示されている機体

現在中部フィンランド航空博物館に保存されている機体である。キャノピーはエルラ・ハウベで無線アンテナは可動風防とともに移動するタイプであり、尾輪は長いタイプを使用している。機体の注意書きステンシルの一部はフィンランド語で表記されている。この機体は、1944年8月にフィンランドに到着したが、実戦で使用されることはなかった。戦後も長くフィンランド空軍で使用され1954年にフィンランドのBf109としては最後の飛行を行ない、以後博物館に保存されて現在に至っている

Bf109G-6 MT-508 W.Nr.?
June.23,1950 Utti Airbase Finland 31HLeLV Pilot:Unknown

Bf109G-6 MT-508 W.Nr.不明
1950年6月23日 ウッティ空軍基地 フィンランド 第31戦闘機隊

第二次大戦後半にフィンランドへ供給されたBf109は、ソ連との政治的な問題により最新装備を導入できない戦後フィンランド空軍の主力機であった。この機体も1950年でも現役で、なおかつ、その年夏に航空ショーで催されたエアレースにレーサー機として出場している。写真を見ると一時的に「A」「D」とマークされた機体もそれぞれあるので、少なくとも3機がレースに使用されたと考えられる。レースは左周りの周回コースらしく、装飾的塗装は左側胴体および左主翼・左水平尾翼上面にのみ施されている

62 Digital profile series Vol.1 / Messerschmitt Bf109 type G

Bf109G-14 white 1 W.Nr.?
November 1944 Hungary Saffelkapitän 4./JG52 Hauptmann Erich Hartmann

Bf109G-14 白1 W.Nr.不明
1944年11月　ハンガリー　第52戦闘航空団第Ⅱ飛行隊第4中隊長　エーリッヒ・ハルトマン大尉

七弁の黒チューリップを機首に描いたこのG-14は、301機撃墜の後、ダイヤモンド剣付柏葉騎士十字章を受賞し、長期休暇を得たハルトマンが前線に復帰した際に使用した機体である。塗装はRLM74/75/76の標準的なものが機体の手入れとともに剥がれて全体にぼやけた上にRLM74でカモフラージュが追加されているようである。オクタン価表示はWM50使用なのでC3になっているが、手書のような書体で下線付きの文字が記入されている

Bf109G-14 black double chevron W.Nr.?
February 1945 Veszprem Hungary Gruppenkommandeure(In acting) I./JG53 Hauptmann Erich Hartmann

Bf109G-14 黒2重シェブロン W.Nr.不明
1945年2月　ヴィスプレム　ハンガリー　第53戦闘航空団第Ⅰ飛行隊長代理　エーリッヒ・ハルトマン大尉

金属製と考えられる背の高い尾翼付きのG-14はハルトマンが'45年1月27日以降、Ⅰ./JG53の指揮官代理を務めていた当時の乗機で、白く冬季塗装が施されているが、乱雑に塗装されているので、黒の二重楔マークの下にはそれまでの機体番号らしいものが見える。左主翼下面には第4航空艦隊所属部隊機を示すV型のマークがRLM04で描かれている。オクタン価表示は活字体でC3とマーキングされている

Bf109G-14/AS black 4 W.Nr.?
April 16,1945 Falconara Italy 2.Lovacko Jato ZNDH nar Vladimir Sandtner

Bf109G-14/AS 黒4 W.Nr.不明
1945年4月16日　ファルコナラ　イタリア　クロアチア独立国空軍(ZNDH)　第2戦闘機中隊　ヴラディミル・サントネル曹長

クロアチア空軍に所属し終戦間際に投降した機体であり今までに多くの写真が発表された機体であったが、機体左側の全体像およびアンテナ線の正確な張り方が判明したのでこの図を作成した。胴体上面はRLM75/83、下面はRLM76で塗装されている。胴体左側と右側では国籍標識が異なる位置にあり、左側のものは中央部が剥ぎ取られた写真があるので、標識はデカールの可能性がある。また、胴体左右に部隊マークと思われる羊の顔が描かれている。左側のエンジンカウリングにある潤滑油注入口はいったん加工された穴を塞ぎ、通常の位置に再度設けられ、アンテナ空中線は尾翼、ループアンテナ、アンテナマストの順に張られている

Bf109G-5/AS black double chevron W.Nr.110064
April 1944 Ludwigslust Germany Groppen kommandeur JG11 Major Günter Specht

Bf109G-5/AS 黒ダブルシェブロン W.Nr.110064
1944年4月　ルードヴィッヒスルスト　ドイツ　第11戦闘航空団第Ⅱ飛行隊長　ギュンター・シュペヒト少佐

G-5/ASは高高度での視認性を考えてRLM76一色で塗装されていたが、規定の幹部記号と飛行隊マークなどを記入したうえで、一度RLM76でオーバースプレーされていると考えられる。この機体は、さらに低高度域での迷彩効果を考えてRLM74/75で再度ラフに迷彩されているように思われる。方向舵には左右両面ともに撃墜マークが描かれており、白色の短冊状のマーク内に斜めに被撃墜機種と撃墜日時が記入されているが、最下段の中央付近のマスタングのみ日時は未記入である

type G

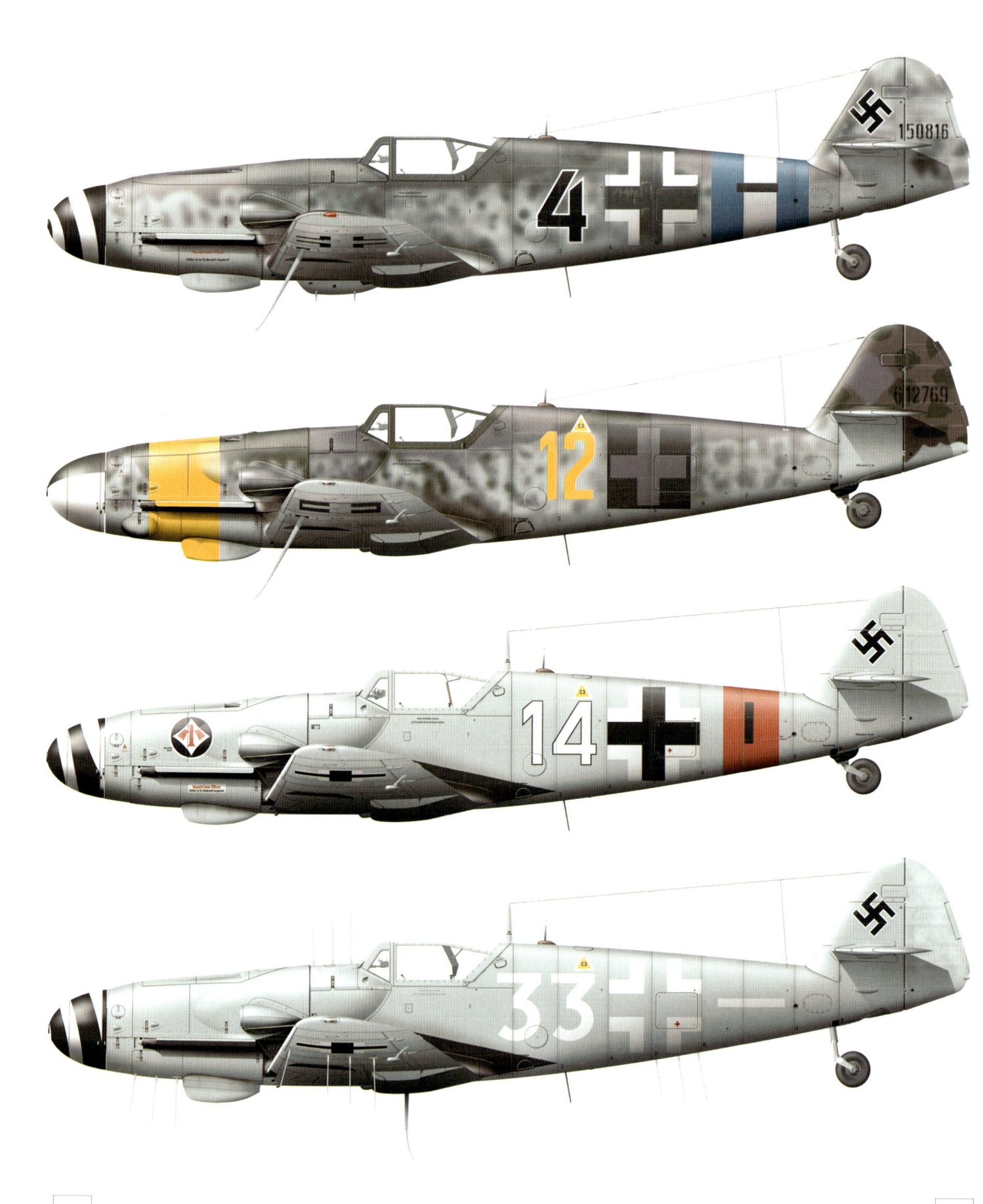

Bf109G-10 black 4 W.Nr.150816
April 1945 Langensalza Germany III or IV/JG300

Bf109G-10 黒4 W.Nr.150816
1945年4月　ランゲンザルツァ　ドイツ　第300戦闘航空団第Ⅲ飛行隊または第Ⅳ飛行隊

このエルラ製G-10はJG2所属の機体とも言われるが、機体が製造された'44年末の部隊への供給状況を調べると同型配備の記録はない。 本土防衛標識帯からJG300の可能性もある。同航空団へは12月に合計190機のG-10が供給されており、JG300の'45年1月、2月の損害状況を見ると150700番台の機体が含まれていることからJG300所属機であると判断した。 塗装は明色暗色のコントラストが少なくRLM74/75/76の塗装と考えられる。JG300の他のエルラ製G-10でも同じ塗装例がある

Bf109G-10 yellow 12 W.Nr.612769
May 1945 Neubiberg Germany 101 FG 3FS Hungarian Air Force

Bf109G-10 黄色の12 W.Nr.612769
1945年5月　ノイビベルク　ドイツ　ハンガリア空軍 第101戦闘航空群第3戦闘飛行隊

すでに祖国がソ連軍の手に落ちている状況でも、ハンガリー空軍部隊は他の同盟国とは異なり最後までドイツ空軍と行動をともにしていた。 G-10の生産では、塗装された状態で集積された部品を組み立てていたためか、すでに垂直尾翼に描かれていたスワスチカをRLM75で消している。 また、機首には黄色の帯を描いているが、これはそれまで主翼下面にV字状の識別記号を使用していた第4航空艦隊のマークに替わり、ドイツの南部に所在する部隊の所属機に描かれた識別マークと考えられる

Bf109G-6/AS white 14 W.Nr.?
April 1944 Paderborn Germany Staffelkapitän 7./JG1 Huptmann Ludwig-Wilhelm Burkhardt

Bf109G-6/AS 白14 W.Nr.不明
1944年4月　パーダーボルン　ドイツ　第1戦闘航空団第Ⅲ飛行隊第7中隊長　ルードヴィッヒ・ヴィルヘルム・ブルクハルト大尉

G-6/ASは高高度での性能向上のためDB605エンジンの過給機をDB603用の大型のものに換えたエンジンを装備している。 外観上の特徴は大型過給機を含めたエンジン部分を収納するために特別のカウリングを装備していたことである。 このカウリングはG-10やK-4のものとも異なるもので、磯見清一氏よりスケッチを提供いただきそれを参考にした。 また、エルラハウベ内部の曇り防止用の暖気供給配管についても、資料をいただいた。 コクピット内の黒い棒状のものが曇り防止用配管の出口である

Bf109G-6/AS white 33(presumptive)W.Nr.?
1945 Germany II.Gruppe / Nachtjagdgeschwader 11 Pilot:Unkown

Bf109G-6/AS 白33（推定） W.Nr.不明
1945年　ドイツ国内　第11夜間戦闘航空団第Ⅱ飛行隊

FuG218レーダーを装備した機体。全面RLM76の塗装はG-6/ASでは基本的なものである。FuG218は合計17本のロッドアンテナ装備が基本であり、おそらく後部胴体下部にもアンテナが取付られたと思われる。また尾輪が延長されているが、おそらくアンテナと地面とのクリアランスを取るためと考えられる。排気汚れを目立たなくするため、主翼付け根に黒色塗装がされたと考えた。写真からは機番は一部しか見えないが、2文字ともに横長なので、同部隊で使用されている3の字体と考えて「33」と推定した

Messersc
Bf109K "K

写真／野原 茂
Photo by Shigeru NOHARA

Bf109シリーズの最終生産型となるK型は、Me309が完全な失敗に終わった1943年春から開発がスタートした。アメリカの参戦以来、欧州の空に次々に投入されてくる新型戦闘機の性能向上は目覚ましいものがあり、本命のP-51ムスタングの登場によって、空戦速度が時速700kmに突入するのも時間の問題と見られていた。ところが、高速戦闘機となるはずだったMe309は調達不能となり、切り札のジェット戦闘機Me262はまだ試作段階にある。したがって、G型の生産継続で作戦機の数を維持しつつも、ジェットまでのつなぎとなる高速戦闘機は絶対に必要だった。ドイツ空軍の戦闘機生産計画は破綻寸前だったのである。

　メッサーシュミット社も崖っぷちに立たされていた。高速戦闘機開発では、Jumo213A液冷エンジンを搭載したFw190Dの投入によってフォッケウルフ社が先行している。また、高々度迎撃戦闘機でも、Bf109H案がフォッケウルフ社のTa152Hに敗れ、メッサーシュミットの威信は大きく揺らいでいた。したがって、Bf109Kの開発に失敗は許されなかった。

　とはいえ、発展性の面ではほぼ限界に達していたBf109Gシリーズをベースとした新型戦闘機の開発となると、できることはあまりない。DB605系エンジンの真打ちとなる、二段式過給器付き、96オクタン燃料使用時に1700hpを出力可能なDB605Lの投入によるブレイクスルーはなかり期待できたが、それまでの期間、開発チームはG型までの中で実地に移された各種の工夫を整理して、打てる手をすべて打つ方針で臨むしかなかった。

　まず第一に、エンジンの強化が図られた。当面使用可能なDB605Dに対して、MW-1混合噴射装置や、GM-1ブースターを装着して、全高度での性能強化を図ったのはもちろん、DB603エンジン用の大型過給器や、大型オイルクーラーなど、効果があると考えられるものは、すべて盛り込まれている。

　もうひとつの発展余地である空力性能については、大きな効果が見込めそうな工夫はすべてF型でやりつくされていた。したがってK型では、まずBf109G-10から採用された延長型固定式尾輪を蓋付きの完全収納型に改めたほか、主翼の主脚収納部にカバーを設置して、空気抵抗の減少を狙った。これらは基本的にG型を踏襲したK型の、外見上の識別ポイントになっている。このように、開発期間とコンセプトは単純明快なK型であるが、関連工場が広く分散していたことに加え、大戦末期の混乱の影響で、全体で1000機程度が生産されたと推測される他は、詳細について不明な点が多く、新資料の発見が待たれている。

　最初の生産型はBf109K-2であり、これは与圧キャビンは省略されていた。エンジンには離昇出力が1800hpに達したDB605ASCないしDB605DCを搭載していたが、仕様や性能に関する詳細は不明で、生産数も極少数に留まったと見られている。

　Bf109Kシリーズの標準となるのが、1944年10月から納入が始まった、DB605D-1エンジン搭載のK-4型だろう。もちろん、エンジン調達の不調からDB605ACSやDCを搭載した機体もあるとされているが、重要なのは、翼桁の改良強化によって、このK-4から翼内にMG151/20機関砲の搭載が可能になったことである（実際に搭載された例は確認できていない）。この他、プロペラ同軸のMG151/20がMk108 30mm機関砲に換装されている。また、後期生産型には長砲身のMK103 30mm機関砲を搭載したとも言われている。

　K-4には、追加装備として戦闘爆撃型に換装可能なR1、R2の他、MG151/20機関砲ないしMK108機関砲を収納した翼下ゴンドラも搭載可能だった。

　翼内にMK108機関砲を搭載したのがK-6で、カウリング内のMG131と、エンジン同軸のMK108を合わせれば、合計5挺もの多銃装備となった火力強化版である。

　そして、登場から10年にも及ぶBf109シリーズの生産リストの最後を締めくくるのが、Bf109K-14である。K-14はDB605Lエンジンを搭載した唯一の機体で、高度1万700mで時速720kmを発揮できたとも言われている。しかし、完成したのは終戦間際であり、わずか2機が前戦に配備されたにとどまった。

文／宮永忠将
Text by Tadamasa MIYANAGA

Reference : Embrems of Bf109 [04]

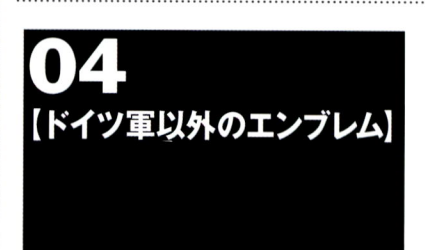

04 【ドイツ軍以外のエンブレム】

スペイン空軍第7航空団のエンブレム（推定）	第52戦闘航空団第15（クロアチア）中隊	スペイン空軍第71飛行隊（推定）	スペイン空軍の部隊エンブレム（推定）	イスラエル空軍第101飛行隊

Bf109K-4 white 1 W.Nr.330204
November 1944 Neuruppin Germany Saffelkapitän 9./JG77 Hauptmann Menzel

Bf109K-4 白1 W.Nr.330204
1944年11月　ノイルッピン　ドイツ　第77戦闘航空団第Ⅲ飛行隊第9中隊長　メンツェル大尉

JG77とJG27のK-4の写真は比較的多く残っている。このイラストは作戦中の写真を参考に作成した。K型の場合、主脚収納部外側にもカバーがあるが、この機体を含めカバーの見られない写真がかなり多いので、多数の機体が装備していないか取り外していたようである。また、主翼下面には相対的に暗い色の部分があるが、ドイツ機に使用されているアルミニウム材は表面の輝きが少ないものであるとの資料もあるので、暗い色の部分は、塗装がされていないと考えこのイラストを描いている

Bf109K-4 blue 16 W.Nr.?
1945 Germany 12./JG27

Bf109K-4 青16 W.Nr.?
1945年　ドイツ　第27戦闘航空団第12中隊

下図の10./JG27 赤7と同じくW.Nr.331xxx番ロットの機体と考えられる。この機体は主翼および、尾翼部分の無い状態で撮影された写真しかないが、胴体部分の塗装詳細がよく判る機体であり、以前は別の番号が描かれていたのを、大まかに消して青16を描いたなどおもしろい特徴がある。赤7も同様であるが、RLM83とともに塗装に用いられたRLM75は、それまでのものよりも、かなり明るい色調と思われるのでそのように描いている

Bf109K-4 red 7 W.Nr.?
May 1945 Prague-Kbely Czech 10/JG27

Bf109K-4 赤7 W.Nr.?
1945年5月　プラハ　チェコ　第27戦闘航空団　第10中隊

この機体は、大戦末期に遺棄された状態の写真があり、W.Nr.331XXX番ブロックの機体塗装の特徴を示している。写真からは主翼裏面に施された塗装の詳細は分からないが、同一時期に輸送状態で放棄されたBf109の主翼の写真を参考にした。塗装工程の省略や資源の問題もあり、布張り補助翼や材質上防錆の必要な部分のみに塗装を施している。主翼下面の判る他のK型の写真から国籍標識は黒の十字のみと推測される

イタリア王国空軍 独立戦闘第150航空群 第365飛行隊	イタリア社会主義共和国空軍 第Ⅱ飛行群2a飛行隊	映画「空軍大戦略」に登場する架空のドイツ空軍戦闘航空団のエンブレム	クロアチア独立国空軍標識	クロアチア独立国空軍の部隊エンブレム（推定）	第52戦闘航空団 第13（スロバキア）中隊	ブルガリア空軍の部隊エンブレム（推定）

The other v
derivatives

写真／野原 茂
Photo by Shigeru NOHARA

1935年の再軍備宣言と、続く英独海軍協定によって、ドイツ海軍は空母グラーフ・ツェペリンとペーター・シュトラッサーの建造に着手した（ただし後者は未着工）。この空母に搭載する艦上戦闘機／軽爆撃機として開発されたのがBf109Tである。

　T型のベースとなったのはBf109E-3であるが、離発着性能向上のために、翼幅が9.87mから11.08mに延長されたほか、外翼が折りたたみ式になっていて、最大幅を4mにまで縮めることができた。また、艦上戦闘機として不可欠なカタパルト発進用スロープや、着艦フックも装備している。60機がフィーゼラー社に発注されたが、戦争勃発によって空母建造は中断となり、フィーゼラー社では空母搭載用の装備を外した状態で、60機を完成させた。母艦を失いつつも、Bf109T-1と名付けられたこの機体は、優れた離発着性能を買われて、基地の環境が悪いヘルゴラント諸島およびノルウェーに配属となる。前線では概ね好評で、今度はDB601Nエンジンを搭載したBf109E-4をベースに、空母用装備を最初から排除したBf109T-2が、同じくフィーゼラー社で製造され、約50機がノルウェーに展開することになった。

　ちなみに、1942年5月にグラーフ・ツェペリンの建造再開の動きが見られた際には、艦上戦闘機としてG型をベースとしたBf109TSが考慮されたが、これは計画のみに終わっている。

　1935年の初飛行から10年にわたり、ドイツ空軍の主力戦闘機として君臨したBf109シリーズは、ドイツの影響下にあった各国でも貴重な戦力として使用された。スイスなど、ライセンス生産を行なった国もあるが、中でもスペインとチェコスロヴァキアの二ヵ国は、それぞれの国情に応じて、独自にBf109の系譜に連なる戦闘機を開発、生産している。

　戦時中、ドイツは爆撃による軍需生産への打撃を最小限に食い止めるために、占領ヨーロッパの各地に飛行機組み立て工場を疎開していた。このうち、チェコスロヴァキアにはBf109Gの疎開工場があり、ドイツ軍が撤退した後、チェコスロヴァキアは多数の部品を接収することができた。

　これを受けて、戦後、Avia（アヴィア）社では、S-99の名称で自国用にBf109Gを生産していた。そして、DB605エンジンの在庫が底を突いた後に、He111爆撃機用のJumo211Fエンジンとプロペラを流用して生産を継続したのがS-199である。1949年に生産中止となるまでに、約550機がロールアウトし、1950年代半ばまでチェコスロヴァキア空軍の一翼を担っていた。

　1948年には、このうち25機が新生国家のイスラエル空軍で購入され、第一次中東戦争では貴重な航空戦力としてイスラエルの勝利に貢献している。ただし、決して完成度が高い機体ではなく、故障が頻発し、すべての機体が戦争で損耗し尽くされている。

　ナチス・ドイツとは因縁浅からぬ関係にあったスペインもBf109の生産国である。スペインは戦時中、Bf109G-2のライセンス生産契約をメッサーシュミット社と交わしていたが、ドイツの需要逼迫が影響して、わずかな部品と図面しか調達できなかった。

　そこでスペインのイスパノ・アヴィアシオン社は、受領した部品をベースに、自前のイスパノ・スイザ12気筒12Z89エンジン（公称1300hp）を搭載したHA-1109の開発に着手し、戦後の1949年になって完成させた。さらに1951年からは、イスパノ・スイザ 12Z17エンジンを搭載したHA1109-K1Lの開発に入り、これは合計65機が生産されている。

　1954年から開発が始まったHA1112が、スペイン製Bf109系戦闘機の最終型となる。前年にイスパノ・スイザ 12Z17が生産中止となっていたために、エンジンはイギリス、ロールス・ロイス社のマーリン500-45を搭載することになった。スペイン語でペリカンを意味する「ブチョン」と名付けられたこの戦闘機は、20mm機関砲 2門と8連装80mmロケット弾を主武装とし、最大で時速665kmを記録するなかなかの佳作機となった。HA1112はスペイン空軍で1965年まで現役にあり、良好な状態に保たれていたため、1969年に公開された「空軍大戦略」をはじめ、多数の映画でドイツ空軍のBf109役に担ぎ出されていたことでも知られている。

文／宮永忠将
Text by Tadamasa MIYANAGA

Variants and of Bf109

72 Digital profile series Vol.1 / Messerschmitt Bf109

other variants and derivatives of Bf109

Bf109T-1 yellow 7 (presumptive) W.Nr.?
Summer 1943 Ingolstadt-Manching Germany I.Gruppe / Nachtjagdgeschwader 101 Pilot:Unknown

Bf109T-1 推定黄色7 W.Nr.?
1943年夏　インゴルシュタットーマンヒング　第101夜間戦闘航空団第Ⅰ飛行隊長

航空母艦用に準備されたT型であるが、空母での運用の機会はついになく陸上基地で使用された。1943年5月には第101夜間戦闘航空団の本部と第Ⅰ飛行隊に20機前後のT-1が配備されている。写真から機番は判明しなかったが、機首の夜間戦闘航空団マークと「白N」の文字があるイラスト資料には「黄色7」が描かれているので、これに従った。「白N」は資料によるとGM1装備が搭載されていない機体とのことである。GM1装備機では小判型の扉がある部分に初期のF型と同様のコンパス点検口がある

Bf109T-2 green 3 W.Nr.?
1943 Helgoland Germany Jagdstaffel Helgoland Pilot:Unknown

Bf109T-2 緑3 W.Nr.不明
1943年　ヘルゴランド島　ドイツ　ヘルゴランド戦闘中隊

航空母艦グラーフ・ツェッペリンで運用するために開発されたT型であるが同艦の就役は実現せず、通常の戦闘機として使用された。実際の運用はT型には数に限りがあるため、主にヘルゴランド戦闘中隊として独立した部隊での運用になった。塗装は通常のRLM74/75/76、スピンナーは1/3白、残りはRLM70によるもので、機番「緑3」は別の番号をRLM74で塗りつぶして描いたと思われる。通常のE型に比較して主翼が延長された他、GM1関係の扉の追加や過給器の空気吸入口変更などが実施されている

Bf109T-2 black 6 W.Nr.7767
End of 1943 to 1944 Lister Norway Staffelkapitän of 11./Jagdgeschwader 11 Oberleutnant Christmann

Bf109T-2 黒色6 W.Nr.7767
1943年末〜1944年　リスター　ノルウェー　第11戦闘航空団第11中隊長　クリストマン中尉

ヘルゴランド戦闘中隊は1943年11月末にJG11の第11中隊として再編されることになり、基地も北海上のヘルゴランド島からノルウェー南部のリスターに移動した。この機体は当時のJG11の機体と同様にRLM74/75/76で塗装された上から高高度での迷彩効果があるとされるRLM76でオーバースプレーされている。翼下面の国籍標識は、写真を見ると白縁のみで内部の黒の部分はRLM76のように見える。方向舵に撃墜マークがあるとするイラストもあるが、写真では確認できなかった

HA-1112K-1L 94◎28 serial number C4J-10
1st half of 1950's Spain Pilot:Unknown

HA-1112K-1L 94◎28 製造番号C4J-10
1950年代前半　スペイン

スペインは1942年にドイツとBf109G-2のライセンス契約を結んだが、当初から肝心のDB605エンジンの引き渡しがなされず、試行錯誤の末、イスパノ・スイザ12Z-17V型12気筒エンジン(1300馬力)を搭載したHA-1112K-1L「トリパラ」が製造された。この機体は、1951年から65機が作られ、武装はイスパノ・スイザ20mm機関砲とピラタス80mm 8連装ロケットを装備している。塗装はイラストのような青、RLM02(灰緑色)、濃緑色の3種類が戦後の機体であるだけにカラー写真から確認できる

74 Digital profile series Vol.1 / Messerschmitt Bf109

HA-1112M-1L 71◎5 serial number C4K-9
Later 50's to early 60's Spain 71e Escuadron Pilot:Unknown

HA-1112M-1L 71◎5 製造番号C4K-9
1950年代後半から60年代前半　スペイン　第71飛行隊

M-1Lは1954年に初飛行し、1965年末まで戦後のスペイン空軍の主力機として活躍した。この機体の胴体下には、電子機器関連と思われるドームが装備されている。本機はモノクロの写真が複数あり、塗装の色調に明らかな違いがある。時期により濃い緑色の場合と図のように青色に塗装された場合があるようだ。機体には「MAPI」の個人マークと上記の7◎85と同様にペリカンの部隊マークが描かれている（数字は「71」）。また、S-199と同様に風防の側面ガラスにも洗浄用チューブが設けられている

HA-1112M-1L 7◎85 serial Number C4K-50
1962 Spain Ala 7 Pilot:Unknown

HA-1112M-1L 7◎85 製造番号C4K-50
1962年　スペイン　第7航空団

HA-1112シリーズの最終型M-1L「ブチョン（雄鳩・ペリカン）」はエンジンをロールス・ロイス マーリン500、プロペラはロートル製4翅とし、イスパノ・スイザ20mm機関砲とエリコン製80mm 8連装ロケットを装備した。塗装はメタリックの明るい灰色（ほとんど白）の上面に青の下面と思われる。機体名はエンジン換装に伴い機首下部が大きく膨らんだことから付けられたものと思われ、機首の部隊章もペリカンである。写真を見る限り、この機体の第3風防天井部はドーム状になっているように見える。また、写真を見ると主翼機関砲覆いのわきにある整流板は、非標準的な小型のものが取り付けられていると思われる

HA-1112M-1L red 11
1968 Spain Fictitious Jagdgeschwader in movie "Battle of Britain" Pilot:Unknown

HA-1112M-1L 赤11
1968年　スペイン　映画「空軍大戦略」に登場する架空の戦闘航空団

映画「空軍大戦略」製作にあたり、退役したHA-1112M-1LをBf109E役とすることになった。このためスピナーの先端は成型され、主翼翼端もE型に近付けるために成型、翼端燈まで似せている。また機首上面には7.9mm機銃のレプリカが取り付けられた。上面はRLM71/02風に塗装され、側面と下面はRLM65よりも濃い青灰色に塗られており、コクピット付近に「ドイツ空軍マーク風の鷲を盾の中に描いたエンブレム」が付けられている。国籍標識はドイツ空軍の場合よりやや前方に描かれている

HA-1112K-1L yellow 14 similar type 14 as Bf109F-4/Trop W.Nr.8673
1957 May be Spain JG27 in Movie "Der Stern Von Afrika" Actor:Joachim Hansen:Hans-Joachim Marseille

HA-1112K-1L W.Nr.8673のF-4Tropに似せた黄色14
1957年　おそらくスペイン　映画「撃墜王 アフリカの星」に登場した機体　ヨアヒム・ハンセン演じるハンス・ヨアヒム・マルセイユ

ハンス・ヨアヒム・マルセイユの生涯を描いた西ドイツ映画「撃墜王 アフリカの星」が1957年に製作され、撮影にはHA-1112Kが使われた。塗装は『スケールアヴィエーション』第73号（大日本絵画刊）で青井邦夫氏が単色塗装であった可能性を指摘しているが、ここではマルセイユ機と同じ色で描いた。しかし、忠実に再現するなら実機の部隊章は普通のものと細部が異なるのだが、これも映画の機体と同じく通常のものとした。昔、映画を見たときは白黒映画なのに小豆色（上面）と水色（下面）の機体が自分の頭の中にイメージされたことを思い出す

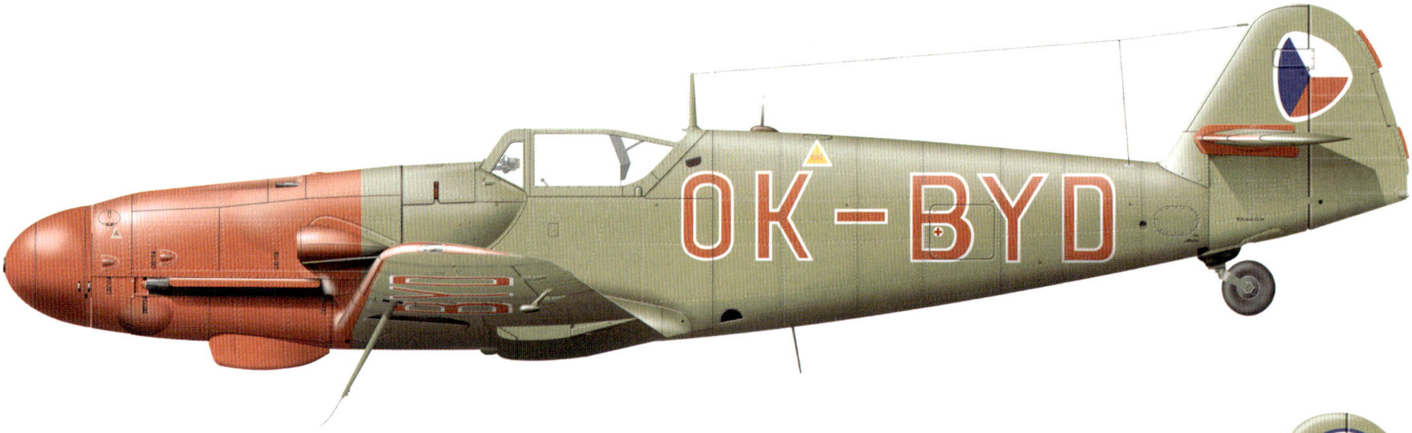
OK-BYD

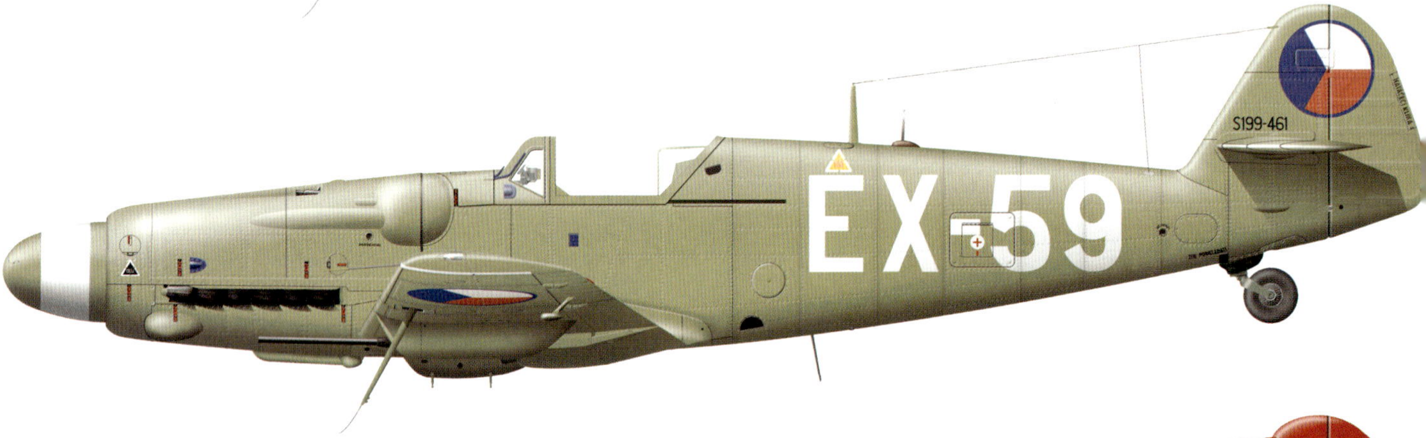
EX-59
S199-461

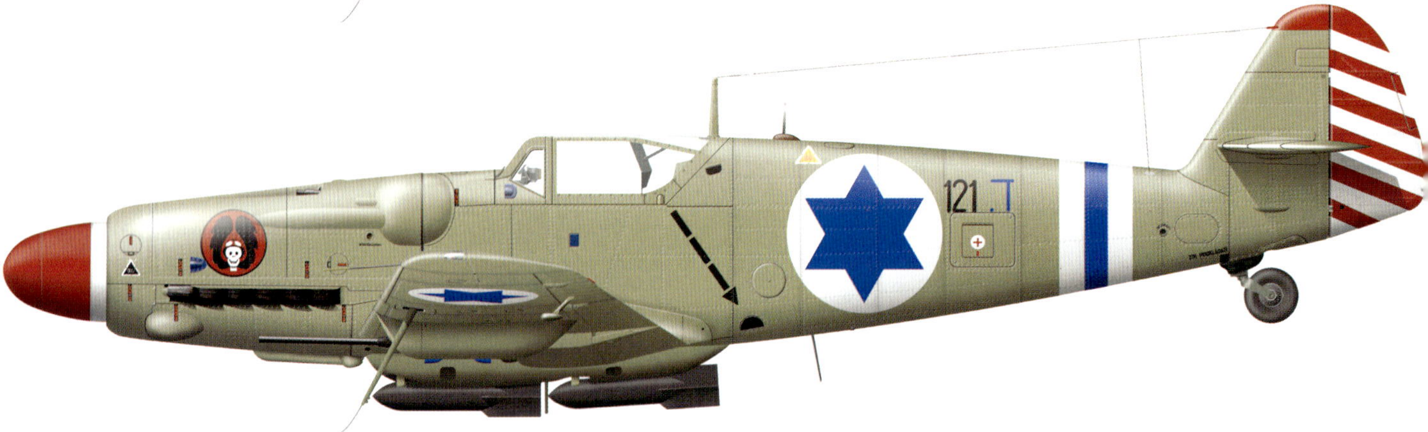
121

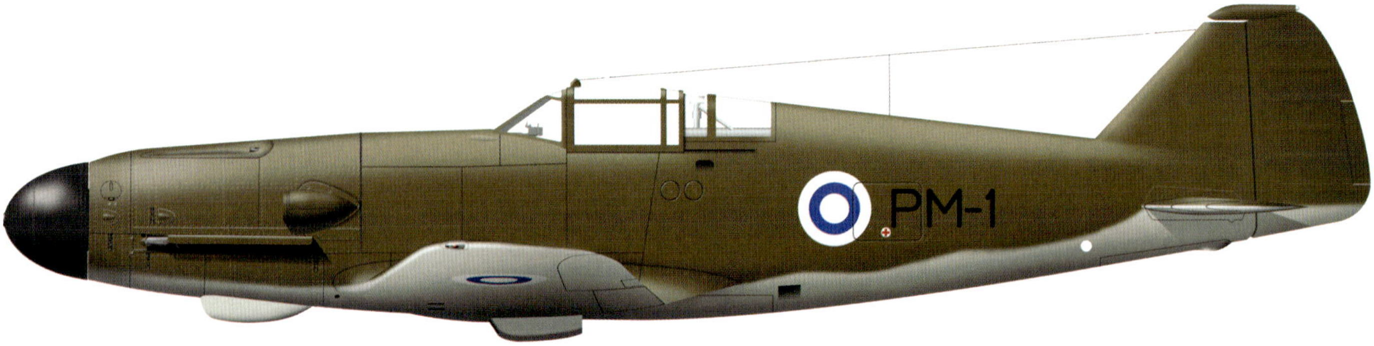
PM-1

AVIA S-99 OK-BYD
Might be 1946 Czechoslovakia Pilot:Unknown

アヴィア S-99 OK-BYD
1946年頃　チェコスロバキア

アヴィアはチェコの有名なシュコダ社の航空機部門で、ドイツの占領下にあった大戦中はBf109G型の製造も手掛けていた。そして戦後、在庫部品を基にチェコ版のBf109として、G-10型に相当する機体をS-99の名称で20機、複座練習用のCS-99を2機生産した。この機体はその内の一機である。戦後の生産で原料の制約が無くなったにも関わらず、木製尾翼コンポーネントが使われているのは、在庫を活用したものと思われる。塗装は、戦時下の在庫塗料と考えRLM02（緑灰色）、RLM23（赤）とした

AVIA S-199 EX-59 Serial Number 461
Might be 1947 to 1950 Czechoslovakia Pilot:Unknown

アヴィアS-199 EX-59 シリアルナンバー 461
1947年から1950年頃　チェコスロバキア

上図のS-99から、さらにエンジンを含めて再設計された機体であり、基本的にG-6型をベースにしている。方向舵を含めた尾部ユニットはBf109の金属製の背が高い尾翼とほぼ同じ形状であり、キャノピーは視界が広そうなスライド型に変更されている。このためアンテナ空中線マストは風防の可動範囲分だけ後退している。Bf109時代に比べて固定風防の側面ガラスにも洗浄液チューブが設置されており、エアインテークや付属品はチェコのシンボルである赤と青に塗装されて、アクセントとなっている

AVIA S-199 D-121
May to June 1948 Israel 101 Squadron Israeli Air Force Pilot:Unknown

アヴィアS-199 D-121号機
1948年5月〜6月　イスラエル　イスラエル空軍第101飛行隊

イスラエルは独立戦争のため世界中から合法・非合法に武器を調達し、チェコからはS-199を25機購入した。残っている写真を見るとイスラエルに納入された機体にはバリエーションがあるようで尾翼が木製と思われるものと、金属製と思われるものがある。キャノピーはイスラエル機にはエルラ・ハウベタイプが使用されており、また、任務が地上部隊の近接支援のため旧ドイツ空軍式の50kg級小型爆弾用ラックを装備。塗装はチェコ仕様に準じており、機首側面には第101飛行隊のマークが描かれている。この機体には第一次中東戦争では複数のパイロットが搭乗しているが、その中に、後にイスラエル大統領となるエゼル・ヴァイツマンも含まれていた

VL-1 Pyorremyrsky PM-1
1945 Finland Pilot:Unknown

VL-1 ピヨレミルスキ PM-1
1945年　フィンランド

フィンランド空軍では、自国でもBf109と同様の性能の飛行機を開発しようとした。この機体ではBf109と同じくDB605エンジンを使用し、胴体・主翼は自国で製造している。エンジンカウリングはG型初期のものに似ているが胴体の幅が広いため、12.7mm機銃を搭載してもボイレ状の瘤はない。胴体は木製でG型に似たカウリングの後方を切断して長さをやや短縮しており、主脚は内側に閉じるためトラックの間隔は広く安定していると考えられる。この機体は最高速度620km/hを記録したが量産にはいたらなかった

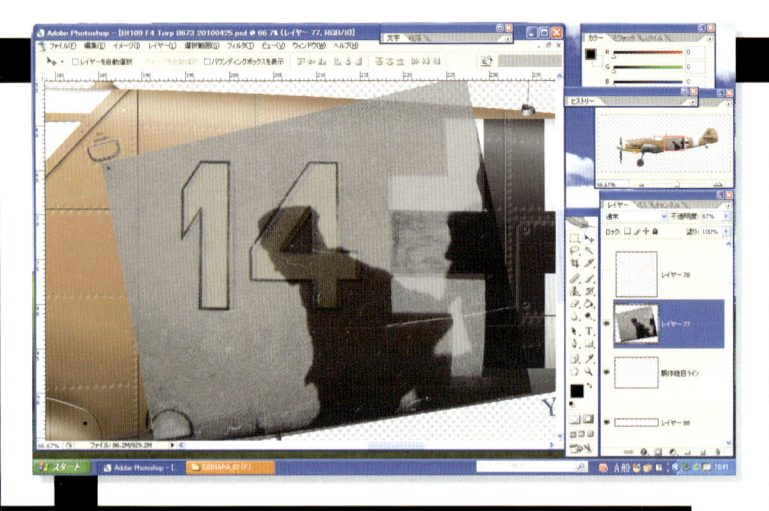

◀側面図とはすなわち真横から見た飛行機の図面である。しかし、その図面を描くための基になる第2次大戦当時の写真のうち、真横から撮られたものはほとんどない。そこで、普通の絵画的手法で描き出す方法では「真横から見たらどういう風に見えるか」ということを人間の感覚に頼りながら推定しなければならない。そこには誤差が生じる可能性も出てきてしまう。されど、本書の一連のイラストのように画像編集ソフトを使えば、新しいアプローチを行なうことができる。左の画像は、マルセイユの乗機 (P.36) のバルケンクロイツと機番を描いているところ。まず、実機の写真をスキャンしてデータ化し、さらに変形させて真横から見た状態にする。こうすれば、斜め方向から撮られた写真でも真横から見ているのと同じ状態にすることができる。さらに描いているイラストの上に重ねることにより、マークがパネルラインなどからどのくらい離れた場所に描かれているか、大きさはどのくらいか、縦横の比率はどうかといったポイントを、誤差を少なくして実物にかなり忠実に描き出すことができる。ただし、写真には機首から尾翼までの全部分が写っていても、例えば左の画像のように胴体部分を変形させてイラストに合わせると、機首などその他の部分はイラストには合わなくなる。そこで1枚の写真をいくつかに分割して、それぞれをイラストに合わせて変形させることが必要である。ここで使われているのは画像編集ソフトは「Photoshop」であり、このソフトだと四角形を平行四辺形に変えるように、縦の比率を変えずに横にずらすことができるので、こういった写真の変形作業を行なうには便利なツールである

How a digital profile is made

Digital Anstrich Schaubild von Yukinobu Nishikawa

その細密さで見る人を驚かせるデジタル・プロファイル
画像編集ソフトを駆使した技法は
既存のイラストとは一線を画する表現を可能にした
今回、その製作過程の一部分をご紹介しよう

▶こちらは30ページに掲載されたアードルフ・ガランドのF-6型を描いているところ。当時のニュースフィルムよりキャプチャされた画像を加工したうえで横に並べて機体全体を表示している。このように、例え一コマの動画では見える範囲は限られていても、連続して並べることにより、多くの情報を得ることができる。もちろん、動画なので微妙なズレやヒズミは生じるが、それらに対しても上下方向の位置をずらしたり傾きを変えるなどの補正を行なうことで誤差を修正できる。また、この方法で塗装の濃淡も把握できてしまうのがお分かりになるであろうか

◀零式艦上戦闘機二二型の主翼を描いているところ。零戦の主翼は胴体側から翼端に向かうにつれて下向きになる「捻り下げ」と呼ばれる構造となっていた。この非常に微妙な主翼のラインをイラストで再現するため、まず実機の構造と同じく主翼内の骨組み（桁）のデータを作成（画像上に書き込まれている数字が桁の番号を表している）。それを実機資料をもとに各々の桁の位置を数ミリ単位ずつ調整し、そこで作成した桁のラインに沿わせるように外板を描き込んでいくという実機の生産工程と同じような手順でイラストを作成している。この方法によって非常に正確で立体的な側面図が制作可能なのだ。また、このような3次元の実機の骨組みの資料をもとにした技法は、画像編集ソフトを使用した製作ならではと言える（画像の零戦は大日本絵画刊「日本海軍戦闘機隊【戦歴と航空隊史話】」に掲載）

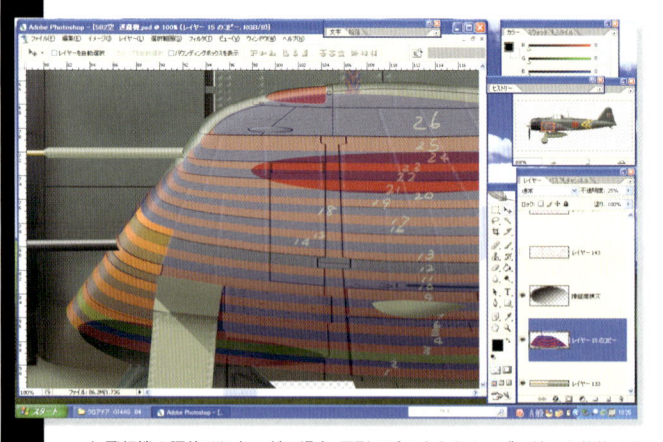

▶飛行機の胴体はほとんどの場合、円形に近い大きなカーブの付いた物体である。そのため、真横から飛行機を見た場合、胴体の上端や下端にあるハッチや部品、そしてリベットは扁平して見えることになる。この「扁平した物」が風景画の中にある場合は人間の目で見たとおりに描いて問題はないが、飛行機のような工業製品においては画像編集ソフトを使用せざるを得ないと考える。このツールを使えば客観的な「扁平率」という数値に基づき扁平した状態に加工することができる。右の画面はドイツ空軍の戦闘機Ta152の機首ラジエーターにリベットを貼り付けているところ。この部分は真円に近いので、画面のようにあらかじめ真円用に扁平率のパーセンテージを刻んだゲージを作っておけば、スムーズに作業が進められる。また、胴体部分といった真円とはいえないものは、断面図よりこの割合を算出している

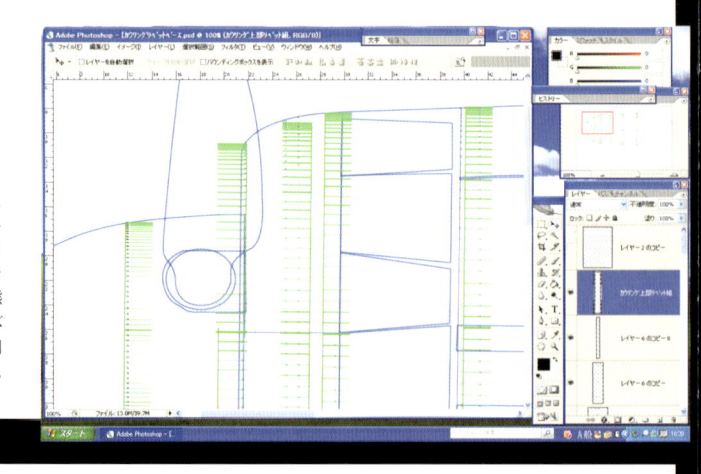

【参考文献リスト】 List of References

■ Bf109F型・G型・K型については、スケールアヴィエーション（大日本絵画刊）に掲載された阿部孝一郎氏による以下の記事を参考にしました。

第7号「1999年メッサーシュミット研究の最前線 MESSERSCHMITT Bf109Fシリーズの構造とバリエーション Part.1/2」
第8号「1999年メッサーシュミット研究の最前線 Bf109K型とG-10の真実 MESSERSCHMITT Bf109K&G-10 THE LAST EAGLES 第1回」
第9号「1999年メッサーシュミット研究の最前線 Bf109K型とG-10の真実 MESSERSCHMITT Bf109K&G-10 THE LAST EAGLES 第2回」
第10号「1999年メッサーシュミット研究の最前線 Bf109K型とG-10の真実 MESSERSCHMITT Bf109K&G-10 THE LAST EAGLES 第3回」

モデラーズ・アイ3　メッサーシュミットBf109G-6（大日本絵画　2002年）

エーリッヒ・ハルトマン ドイツ空軍のエースパイロット（大日本絵画　1989年）
エアロディテール1 メッサーシュミットBf109E（大日本絵画　1992年）
ブラック シックス　英国上空を翔るグスタフの翼（大日本絵画　2003年）
世界の戦闘機エース5　メッサーシュミットのエース北アフリカと地中海の戦い（大日本絵画　2000年）
世界の戦闘機エース20　西部戦線のメッサーシュミットBf109F/G/Kエース（大日本絵画　2002年）
オスプレイ軍用機シリーズ40　ハンガリー空軍のBf109エース（大日本絵画　2003年）
オスプレイ軍用機シリーズ44　クロアチア空軍のメッサーシュミットBf109エース（大日本絵画　2004年）
オスプレイ軍用機シリーズ45　第二次大戦のルーマニア空軍エース（大日本絵画　2004年）
オスプレイ軍用機シリーズ51　第二次大戦のスロヴァキアとブルガリアのエース（大日本絵画　2005年）
LO+ST　ドイツ機敗戦写真集（大日本絵画　2009年）
ドイツ空軍塗装大全（大日本絵画　2008年）
スケールアヴィエーション（大日本絵画刊）第25号　特集特別企画
モデルアート4月号臨時増刊　メッサーシュミットBf109G/K（モデルアート　1987年）
モデルアート3月号臨時増刊　WWII ドイツ空軍のエクスパルテン（モデルアート　2000年）
WWII ドイツ戦闘機隊のエース乗機（エルラハウベ出版　2002年）
航空ジャーナル別冊 ドイツ空軍戦闘機隊（航空ジャーナル　1978年）
世界の傑作機 メッサーシュミットBf109（パート1・2）（文林堂）
ミリタリーエアクラフト9月号別冊　ドイツ軍用機プロファイル(1)（デルタ出版　1998年）

MESSERSCHMITT ME109 Vol.2 From 1942 to 1945 ［Planes and Pilots Series］（Histoire & Collections 2006）
Messerschmitt Bf-109:Luftwaffe Fighter ［Living History Series Vol.5］（Howell/Crowood Press 1997）
Jagdwaffe Volume 1〜5（Classic Publicatons）
Messerschmitt Bf-109K Camouflage and Marking（Japo 2000）
Major Hans "Assi" Hahn the Man and His Machines（Eagle Editions 2003）
ADOLF GALLAND ［MMP:Blue］（MMP 2003）
Monographs Vol.22, 31,37,38（Kagero）
JG2 Richthofen 1936-1941 ［Air Miniatures No.7］（Kagero 2002）
JG27 Vol.1, 3 ［Air Miniatures No.1, 12］（Kagero 2002）
Messerschmitt Bf109 G Over Germany : Pt.1 ［Topcolors］（Kagero 2007）
Luftwaffe Fighter Aircraft in Profiles（Schiffer publishing 1997）
More Luftwaffe Fighter Aircraft in Profiles（Schiffer publishing 2002）
Messerschmitt Bf-109G-2 ［Lock On No.28 Aircraft Photo File］（The VLS Corporation 1997）
LUFTWAFFE IM FOCUS SPECIAL No.3（Luftfahrtverlag-Start 2009）
AIR MAGAZINE No.42　Avia S-99 et S-199 Juin/Juillet 2008（TMA SARL 2008）
An Illustraed Study Messerschmitt Bf109 F,G,and K Series（Schiffer 1992）
Walk Around No.34 Messerschmitt Bf109E（Squadron/Signal 2004）
Walk Around No.43 Messerschmitt Bf109G（Squadron/Signal 2006）
Messerschmitt Bf109F-K（Schiffer 2000）
LES MESSERSCHMITT BF109 ROUMAINS ［AIR MAG HORS-SE´RIE No1］（AirMagazine 2002）
LES MESSERSCHMITT ESPAGNOLS ［HORS-SE´RIE Avions No5］（SARL Lela Presse 1997）
Les Messerschmitt Bf109 Suisses ［HORS-SE´RIE Avions No13］（SARL Lela Presse 1999）
Messerschmitt Bf109T Camouflage and Markings ［Profiles in Norway nr.3］（Arild Kjaeraas 2004）
Han-Joachim Marseille : an illustrated tribute to the luftwaffe's "STAR OF AFRICA"（Schiffer 2008）
Messerschmitt Bf 109A-E ［Militaria i Fakty 42］（Ajaks 2007）
Messerschmitt Bf 109F ［Luftwaffe Profile Series, 13］（Sciffer 2004）
Messerschmitt Bf109G-6 ［HT model magazine special No.909］（HT model 2004）

この他、下記のWebサイトも参照

Falcon's Messerschmitt Bf109 Hanger（http://www.messerschmitt-bf109.de/）
Hyperscale The Online Resource for Aircraft & Armour Modellers（http://www.hyperscale.com/）
Jagdgeschwader 300 "Wilden Sau"（http://www.jg300.de/）
The Luftwaffe 1933-1945（http://www.ww2.dk/）

あとがき

Yukinobu Nishikawa

　50歳を迎えたとき、定年後の人生を見据えて何かをしなければならないと考え、自分の可能性を考えている頃、Claes Sundin氏やThomas Tullis氏の航空機イラスト本を見つけ早速購入しました。当時、研究資料や営業用技術資料を他社と差別化するために、装置類や実験対象をよりリアルに描くことをしていましたので、本を見ると彼らがどのような方法で描いたかおおよその見当がつきました。これなら、できるかもしれないと思い、手持ちのPCとお手頃価格のビットマップ系のソフトで練習を始めてみました。

　数年後にはプラモデルの箱絵を担当させていただける幸運を手に入れることができました。同時に、Hyperscale.comなどに寄稿していましたところ興味を持っていただいた方々から資料等のサポートを得ることができ、この書籍を刊行することができるようになりました。

　資料をご提供いただき、同時に、充分に生かしきれない部分のご指摘までいただきました石塚昌弘様、芦本光雄様、磯見清一様、ヘルムート・シュミット様にはこの紙面をかりて厚く御礼もうしあげます。また、株式会社アートボックス『スケールアヴィエーション』編集部の石塚編集長、毎回、原稿締め切りぎりぎりまで付き合っていただきました編集部の藤井様にも厚く御礼をもうしあげます。

　最後になりましたが、今後のイラスト製作に反映させるためにも、本書をご覧いただきました読者の皆さまの忌憚のないご意見をお待ちしてます。

著者
西川幸伸
【にしかわ ゆきのぶ】

昭和25年（1950年）、兵庫県芦屋市生まれ。昭和49年、静岡大学工学部卒業。会社員。イラスト関係ではプラモデルメーカーのパッケージデザイン、航空誌、および航空機模型誌のイラストを手掛けている

デジタルプロファイル シリーズ Vol.1
メッサーシュミットBf109
［デジタル解析カラー側面図集］

発行人 ■ 小川光二
発行所 ■ 株式会社 大日本絵画
〒101-0054　東京都千代田区神田錦町1丁目7番地　☎03-3294-7861（代表）
http://www.kaiga.co.jp

編集 ■ 石塚 真
編集協力 ■ 藤井謙二郎
協力 ■ 南部龍太郎

企画／編集 ■ 株式会社 アートボックス
〒101-0054　東京都千代田区神田錦町1丁目7番地 4F　☎03-6820-7000（代表）
http://www.modelkasten.com/

装丁・デザイン ■ 井上剛志
発行日 ■ 2010年8月30日　初版第一刷

印刷 ■ 株式会社リーブルテック
製本 ■ 株式会社ブロケード

©2010 大日本絵画・西川幸伸
ISBN978-4-499-23029-2

※落丁・乱丁はお取り換え致します。価格はカバーに表示してあります。
　内容に関するお問い合わせ先：03（6820）7000　　（株）アートボックス
　販売に関するお問い合わせ先：03（3294）7861　　（株）大日本絵画